U0061297

新雅・知識館

幼兒365天奇趣知識小百科

以茲・豪厄爾 著

新雅文化事業有限公司
www.sunya.com.hk

新雅・知識館

幼兒365天奇趣知識小百科

作　　者：以茲・豪厄爾（Izzi Howell）
翻　　譯：羅睿琪
責任編輯：張雲瑩
美術設計：張思婷
出　　版：新雅文化事業有限公司
　　　　　香港英皇道499號北角工業大廈18樓
　　　　　電話：(852) 2138 7998
　　　　　傳真：(852) 2597 4003
　　　　　網址：http://www.sunya.com.hk
　　　　　電郵：marketing@sunya.com.hk
發　　行：香港聯合書刊物流有限公司
　　　　　香港荃灣德士古道220-248號荃灣工業中心16樓
　　　　　電話：(852) 2150 2100
　　　　　傳真：(852) 2407 3062
　　　　　電郵：info@suplogistics.com.hk
印　　刷：中華商務彩色印刷有限公司
　　　　　香港新界大埔汀麗路36號
版　　次：二〇二二年四月初版

ISBN: 978-962-08-7984-5
Original Title: *365 Happy Facts For Kids!*
First published in Great Britain in 2022 by Franklin Watts
An imprint of Hachette Children's Group

18/F, North Point Industrial Building, 499 King's Road, Hong Kong
Published in Hong Kong, China
Printed in China

Picture acknowledgements:
Alamy: Arterra Picture Library 21t, mccool 45c, Fremantle 47c, Nature Picture Library 71tl; Getty: Professional Sport/Popperfoto 46bl, Swim Ink 2, LLC/CORBIS 59b; iStock: KeithSzafranski 5cr, kugelblitz 6c, Olezzo 5b, Saddako 8tr, arturbo 11tl, jess311 25tr and 31t, Elmoonline 35tr, ozgurdonmaz 73tl; NASA: JPL/Malin Space Science Systems 25b, 48tr, 60b, 67cr, JPL-Caltech 69cr; R é gis Cavignaux 22 tr; Science Photo Library: JAVIER TRUEBA/MSF 29tr; Shutterstock: Alex Coan 2 and 77b, Valentyn Volkov 3tl, irin-k 3tr, Eric Isselee 3b, 7t, 8br, 13t, 13b, 16b, 17tr, 17br, 50cr, 54c, 67b, 79 and 82 Giedriius 4tl and 6b, Goglio Michele 4tr, LankaP 4c, yevgeniy11 4bl, Phant 4br, Aksenova Natalya and Steve Collender 5tl and 11tr, Ermolaev Alexander 5tr, 16tr, 18t and 49b, photomaster 5cl, Egor Arkhipov 6t, nadi555 7c, Dudarev Mikhail 7b, Rowland Cole 8tl, irin-k 8bl, Rosa Jay and Tsekhmister 9t and 30b, Dina Photo Stories 9c, Vangert 9b, Rosa Jay 10t, Daniel Gale 10c, evenfh 10b and 24bl, BBA Photography 11c, Svietlieisha Olena 11b, Martin Christopher Parker 12tl, scubaluna 12tr, Martijn Smeets 12bl, Sven Boettcher 12br, Paulphin Photography 13c, Anucha Tiemsom and cowardlion 14t, Chase Dekker 14c, chrisbrignell 14b, V-yan 15t, Vadim Petrakov 15c, Filipe.Lopes 15b, vkilikov 16tl, Imageman 17tl, mnoor 17bl, stockphoto mania and delcarmat 18c, Peter Douglas Clark 18bl, Dan Bagur 18br, puyalroyo 19tl, Bernard S Tjandra 19tr, Alexander Cher 19b, Bildagentur Zoonar GmbH 20t, stefbennett 20c, Daniel Prudek 20bl and 52tl, Greg Amptman 20br, Ryan M. Bolton and Marvelous World 21c, viktorio 21b, Peter Etchells 22tl, Siriporn prasertsri 22c, Annette Shaff 22b, Sonsedska Yuliia 23t, pukach 23c and 75bl, Jellis Vaes 23b, Pixel-Shot 24t, 28br and 41bl, Masarik 24c, successo images 24br, Demkat 25tl and 32c, Aleandro 25cl, Wild Alaska Ken 25cr, Tanya Puntti 26t, Paul Juser 26b, cynoclub 27t, Nynke van Holten 27b, JCElv and Daniel Fung 28t, kandl stock 28c, jorge ivan vasquez cuartas 28bl, Budimir Jevtic 29tl, Kues 29b, mikumistock 30tl, New Africa 30tr, oksana2010 31c, matteo_it 31b, Yellowj 32tl, Alfa Photostudio 32tr, Yobab 32
Mazur Travel 33t, Alexey Seafarer 33c, Nido Huebl 33b, Just Ano
er Photographer 34tl, antpkr 34tr, Przemyslaw Skibinski 34bl, L
Molinero 34br, Namomooyim 35tl, Beth Van Trees 35b, MD_Ph
tography 36t, melissamn 36c, Alizada Studios 36b, Oliver Foerstr
37t, Jay Ondreicka 37bl, Dmitry Lobanov 37br, Sumit Sarasv
38tl, STEKLO 38tr, nechaevkon 38bl, Steve Allen 38br, tetiana
39tl, hxdbzxy 39tr, HomeArt 39bl, OpMaN 39br, Ollyy 40tl and 4
kritskaya 40tr, Maria Isaeva 40c, Timmary 40b, Lightspring 41tl a
42br, Jim Barber 41tr and 46br, Sanit Fuangnakhon 41c, Salty Vi
41br, Sheila Fitzgerald 42tl and 75br, ESOlex 42tr, sumire8 42bl a
94bl, Roman Samborskyi 43tl, 88t, 92br and 95b, stockphoto ma
43tr, Mulevich 43b, yakub88 44tr, Krakenimages.com 44bl and
Norma Cornes 44br, Elena Schweitzer 45t, Seregraff 45b, LightFi
Studios 46t, muratart 47tl and 56tl, Ayman alakhras 47tr, Rita_Ko
marjova 47b, Javi Az 48tl, Dan Thornberg 48bl, s_bukley 48br, F
tureflash Photo Agency 49tl, M.Stasy 49tr, MisterEmil 49c, Nata
Rozhkova 50t and 57b, nokkaew 50cl, Ukki Studio 50b, Jmiks 5
and 52bl, Melica 51tr and 54t, Ortis 51c, leisuretime70 51bl, Ja
slav Moravcik 51br and 59tl, Jet Cat Studio 52tr, Photoongrap
52br, Lefteris Papaulakis 53t, Piotr Kloska 53c, Michael C. Gray 5
Rudmer Zwerver 54b, Alfonso de Tomas 55tl, irin-k 55tr, And
Izzotti 55bl, sevenke 55br, Tanya Sid and Scrudje 56tr, Food
dPhoto and Oleksandr Lytvynenko 56bl, photomaster and Lu
Holub 56br, Marti Bug Catcher 57tl, Peyker 57tr, Shawn Hem
58tl, akiyoko 58tr, timquo 58b, PixelSquid3d 59tr, Andrei Kuzr
60tl, John Brueske 60tr, viki2win 61tl, MIGUEL G. SAAVEDRA 6
Stocksnapper 61b, Susan Schmitz 62t, 69b and 78, leeborn 62
arka38 62cr, Raisa Kanareva 62b, M.Aurelius 63tl and 65tl, Mo
cello 63tr ,64tr and 92tl, Pixfiction 63cl, Kurrus 63cr, FRAYN 6
Jason Benz Bennee 63br, Jure Divich 64tl, LoopAll 64bl, Sapp
64br, Rich Carey 65tr, ifong 65bl, Daniel M Ernst, aastock and A
win 65br, Fotokon 66tl, Chatkul 66tr, spaxiax 66c, vchal 66b,
67t, fokke baarssen 67cl, Kwangmoozaa 68t, spotters_studio 6
kosam 68bl, volkova Natalia 68br, Hurst Photo 69tl, Africa Stu
69tr and 93c, Jagodka 69cl, Nick Kashenko 70t and 73bl, Geralc
DeBoer 70cl, Jay Ondreicka 70cr, S. Aratrak 70bl, Pan Stock 7C
Valerii Evlakhov 71tr, Vojce 71c, Maliwan Prangpan 71bl, Coc
Studio 71br, Potapov Alexander 72t, Audrey Snider-Bell 72b,
mariolen and photomaster 73tr, gresei 73br, Hekla 74tl, Aggie
74tr, YoloStock 74bl, Damsea 74br, Happy Stock Photo 75tl, tu
ceo 75tr, ILYA AKINSHIN 76t, Lawrey 76cl, Valerii Evlakhov 76
jadimages 76b, Ann Baldwin 77t, Jolanta Wojcicka 77cl, Retou
man 77cr, DenisNata, Anna Chelnokova, SaskiaAcht, Picture P
ners, japape, Valentina and Razumova 78, varuna, stockcreatic
Sailorr, Hong Vo, Bokhach and Nataliia Pyzhova 79, R-studio, Pr
Perola, alphaspirit.it, Kunertus, IrinaK and Jenny Sturm 80, D
Pot, sumire8, Michael Shake and A.Basler 81, stockcreations, P
toongraphy, prapass, MartinaP, Orla and DONOT6_STUDIO
Chikala, Iraidka, Becky Starsmore, topseller, Nattika and apertu
sound 83, Tim UR, Ruth Black, DenisNata, Runrun2, Ildi Papp
SewCream 84, NASA images, bekirevren, HodagMedia, Ian 20
Nik Merkulov and bblitz 85, NASA images, Jessica Leyva, xpi
varuna, MaraZe and Mr Doomits 86, irin-k, Valentyn Volkov, C
Popova, Krieng Meemano, Tim UR, Elena11 and Aguni 87, Vasi
Alexandr 88cl, Monkey Business Images 88cr, Paul Hakimata F
tography 88bl, Markus Mainka 88br, AdriaVidal 89tl and 91br, G
89tr and 92bl, Tiger Images 89c, Svetlana Serebryakova 89bl, Sl
ca Stajic 89br, Volurol 90tl, rSnapshotPhotos 90tr, comzeal ima
91bl, WAYHOME studio 91br, Patrick Foto 91t, Arkhipenko C
91c, Rudchenko Liliia 91bl, Andrey_Kuzmin 92tr, Dean Drobot
Iakov Filimonov 93tr, Mix and Match Studio 93b, fizkes 94tl, Al
Ozerova 94tr, photka 94br, Billion Photos 95t, Jacob Lund 95c.

All design elements from Shutterstock.

目錄

有趣的動物

這隻企鵝要到哪裏去？請翻到第 6 頁看看吧。

1 笑一笑！

短尾矮袋鼠擁有「世界上最快樂動物」的美譽，全因牠的臉上總是掛着笑容！這種來自澳洲的動物毫不怕生，常常和遊客一起擺姿勢拍照。

2 嘻嘻嘻

老鼠被撓癢癢時原來會放聲大笑！不過牠們的笑聲和我們的不太相似，牠們的笑聲更像小鳥吱喳地叫。如果你想讓老鼠發笑，牠們的脖子背面特別怕癢啊。

3 愛搗蛋的烏鴉

嗚嗚

烏鴉會用牠們聰明的腦袋來故意製造混亂！牠們會捉弄其他動物，還會藉由模仿其他動物的叫聲來取笑對方。

請翻到第11頁，找出為什麼某些鴨子會學懂滑水吧。

請翻到第18頁，找出關於貓咪的一個趣聞。

4 聰明的鴿子

鴿子原來精於數學！科學家發現鴿子能夠將一組不同的物品按大小排列起來，在這之前，人們認為只有猴子擁有這種程度的智力。

5 雪國之道？！

日本獼猴生活在冰天雪地的日本北部，這些快樂的猴子會在下雪天打雪仗！

6

嗡啦——耶——嘿——呵

巴仙吉犬不會吠叫，卻會唱歌！這個特點讓牠獲得「不會吠的狗」的暱稱，不過事實上牠毫不安靜，還會整天高歌！

7 彼此作伴

你知道天竺鼠如果沒有朋友的話，會變得傷心又孤獨，就像人類一樣嗎？事實上，在瑞士只飼養一隻天竺鼠是違法的！

我們永遠是朋友！

8 水中牀舖

海獺睡覺時會握着同伴的爪子，以免牠們在海浪中漂流時失散！獨自睡覺的海獺會用海藻包裹住自己，以固定位置。

老朋友，我回來了！

9 企鵝老朋友

2011 年，一個巴西漁夫拯救了一隻企鵝的生命，牠當時被沖到岸上，渾身布滿油污，漁夫為企鵝清潔身體，餵牠吃魚，之後才將牠放回大海裏。如今這隻稱為丁丁的企鵝每年都會從棲息地游泳 8,000 公里去探望漁夫！

10 目光如炬的大眼睛！

鴕鳥的眼睛比牠的腦袋還要大！牠出色的視力能幫助牠察覺捕食者，好讓牠能及時逃生。因此，鴕鳥不需要聰明絕頂，也能安全保命！

11 深受寵愛的馬

羅馬皇帝卡利古拉（Caligula）據說非常寵愛他的愛駒，不單送給這匹馬一個寶石項圈，甚至有說他曾把黃金混入燕麥餵養這匹馬！

12 你聽懂了嗎？

牛會以不同的口音發出哞哞聲，就像人類一樣，視乎牠們住在哪裏而有不同口音！這也許是因為每一羣牛會發展出不同的哞哞叫風格，並代代相傳。

13 親親！

草原犬鼠會用親吻來打招呼！牠們會藉着互相碰觸嘴巴（有時更會碰觸對方的舌頭）來向同伴打招呼。

14 我的好寶寶！

九帶犰狳幾乎總是會誕下四胞胎！雌性九帶犰狳會生產一顆卵子，當它受精後便會分裂成 4 個胚胎。

15 舞壇天后

蜜蜂喜歡翩翩起舞，但那並不是為了玩樂，而是利用舞蹈來互相溝通，牠們的「扭扭舞」能告訴蜂巢裏的其他蜜蜂要到哪裏去尋找食物。

16 海洋之歌

誰有節奏感？海獅！牠們能夠準確地配合音樂點頭！截至目前為止，科學家還未能證實除了人類和海獅以外，還有哪些哺乳類動物懂得數拍子。

17 挺身而出的松鼠

紅松鼠通常獨自生活，不會與同類交往！不過如果有紅松鼠寶寶失去父母、成為孤兒，來自同一家族的雌性紅松鼠有時會挺身而出，收養這隻小寶寶。

喵鎮長 18

一隻薑黃色的無尾雄貓成為了美國阿拉斯加一個小鎮的鎮長接近 20 年！這隻貓名叫史塔布斯，史塔布斯鎮長的政治訴求包括要有悠長的午睡時間，以及在食水中加入名為貓薄荷的草本植物！

驚人的記憶 19

科學家發現，腦部非常簡單的魚類也能夠辨認臉孔，那代表你的寵物魚很可能知道你是誰！畢竟你就是餵養牠的那個人呀……

20 倒掛着誕生

蝙蝠會在倒掛的姿勢下生產小寶寶！蝙蝠媽媽需要迅速行動，敏捷地用翅膀接住牠的新生寶寶！

21 伸出援「爪」！

紐芬蘭犬是出色的救生員！牠們之所以擁有頂尖的游泳技術，全靠牠們防水的毛髮和帶蹼的腳，而牠們友善的個性，也令牠們樂意對在水中遇上麻煩的人伸出援「爪」。

22 企鵝的禮物

這是世上最好的禮物！

慷慨的巴布亞企鵝會送給牠們的伴侶一份完美的禮物，就是一顆鵝卵石！鵝卵石不僅漂亮，還非常實用，因為巴布亞企鵝會用鵝卵石來築巢生蛋呢。

23

出人意表的呼吸管

大象能夠把鼻子當作呼吸管來使用！牠們是優秀的泳手，鼻子能作為呼吸管，讓牠們能夠游到更深水的地方，並停留在水中更長時間。

24

超級滑浪高手

美國加州一羣超級厲害的綠頭鴨學會了如何滑浪和捕捉沙蟹！這些鴨子會乘着海浪直接來到海灘上，這讓牠們能在沙蟹埋進沙子裏之前，迅速地將沙蟹抓住。

25

環保鬥士

灰松鼠會在地裏埋下大樹的種子，然後把事情忘記得一乾二淨，這卻有助森林重生！灰松鼠埋下的種子中大約有 30% 永遠不會被挖掘出來，並留在地裏發芽，長成新的大樹。

26

牛朋密友！

牛隻會跟同伴建立親密的友誼，當牠們與朋友分離時，便會感到不快樂！

世界第一犬

27

活潑好動的狗隻愛玩拾球遊戲，而目前狗隻一口能含着最多網球的世界紀錄是5顆球！

毛茸茸的寶寶

28

有某些品種的蝸牛，牠們年幼時擁有長滿了毛的外殼！硬綳綳、黏糊糊、毛茸茸，集合三種不同質感於一身呢！

出人意料的泳手

29

樹懶在陸地上的緩慢步伐已是眾所周知，不過原來牠們是非常敏捷的泳手！牠們喜歡的泳式是蛙式。

快樂的小跳豆

30

當兔子感到快樂時，會做出一種特殊的跳躍動作，稱為兔子舞！跳兔子舞時，兔子會扭動身體，並在空中踢腿。

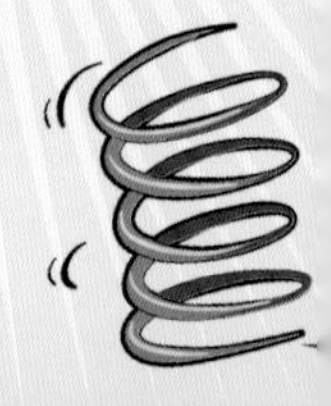

31

毛茸茸的罪犯

樹熊的指紋和人類的指紋很相似，在犯罪現場很容易招來誤會！不過假如你指證樹熊是犯人的話，別期望任何人會相信你！

32

超級大腦

往這邊！

往那邊！

你可能聽說過八爪魚非常聰明，不過你知道牠們擁有9個腦袋嗎？除了一個位於中央的腦袋外，八爪魚每一根觸手裏都有一個腦袋，所以這些觸手能夠獨立行動。

33

防曬準備

除了超級長腿和長頸外，長頸鹿還擁有巨大的紫色舌頭，長度達50厘米！科學家相信，舌頭深沉的顏色能夠讓長頸鹿在烈日下進食樹葉時，避免舌頭被太陽曬傷。

34 是蛋還是豆？

你需要有出色的視力，才能看見吸蜜蜂鳥那細小的蛋，因為每顆蛋只有一顆咖啡豆的大小！成年吸蜜蜂鳥是世界上體形最小的鳥，牠們很容易被人誤認為是蜜蜂！

35 隱藏的口袋

海獺外出時並不需要帶背包，因為牠們的手臂下有內置的口袋！牠們會用這些口袋來存放可用作工具的石頭，還會用口袋帶着零食到海面上大快朵頤。

36 寵物醫生

寵物不僅是我們最佳的毛茸茸朋友，而且牠們對我們的健康也很有好處！擁抱貓咪和狗隻能夠紓緩我們的壓力，讓兒童接觸寵物還能減少患上哮喘和敏感的風險呢。

37 脫離險境

大熊貓已不再瀕臨絕種了！全靠多年來的保育和繁殖計劃，大熊貓的數量正在上升，如今牠們被列為易危物種。

38 巨大的鳥喙

鵜鶘的喙能夠盛載的東西竟比牠的肚子還要多！鵜鶘會用連接着鳥喙的大喉袋舀起水和魚。接着，牠們會慢慢把頭往後傾，讓水從喙的邊緣流走，然後才吞下牠們的鮮魚大餐！

39 潔牙專家

你再也沒有藉口不用牙線來清潔牙齒了，因為連猴子也會用！某些品種的猴子會用鳥類的羽毛、青草的葉片，甚至人類的毛髮來清潔牠們的牙齒！

40 鯊魚的舞步

鏽鬚鮫發現了跳舞能夠幫助牠們捕蜆！這種鯊魚會游到淺水區域，並在沙地上扭動身體，這樣便能掘起美味的蜆，讓牠們開懷大吃！

41 愛的搖籃曲

每一條海豚都有一種特殊的叫聲，牠們會將叫聲用作名字來分辨彼此的身分。在海豚出生前的數星期裏，牠們的媽媽會給寶寶唱出自己名字的叫聲，科學家相信海豚媽媽是在教會寶寶認識媽媽的名字！

媽咪，媽咪，媽咪，媽咪！

什麼？！

42

是左是右？

就像人類一樣，貓可以是左撇子或右撇子！許多寵物貓拿取食物或是踏下梯階時都有偏好使用的腳掌。雌貓大多是右撇子，而雄貓通常是左撇子。

43 大方的鳥

一項新近的研究發現，非洲灰鸚鵡之間會互相幫助，即使牠們並不能從中獲得任何好處！這對鳥類來說是極不尋常的，就連一些非常聰明的鳥類，例如烏鴉也不會互相幫助呢。

44

渴睡的蝸牛

蝸牛一覺可以睡上數年！在英國倫敦自然歷史博物館，職員發現館內收藏的一個貝殼樣本，裏面竟然住着一隻睡得又香又甜的蝸牛。

是馬還是狗？

世界上最細小的雄馬竟然比一隻格雷伊獵犬還要矮！這匹馬名叫邦貝爾，牠由肩胛骨至蹄之間的高度只有 56.7 厘米。

45

泡泡寶寶

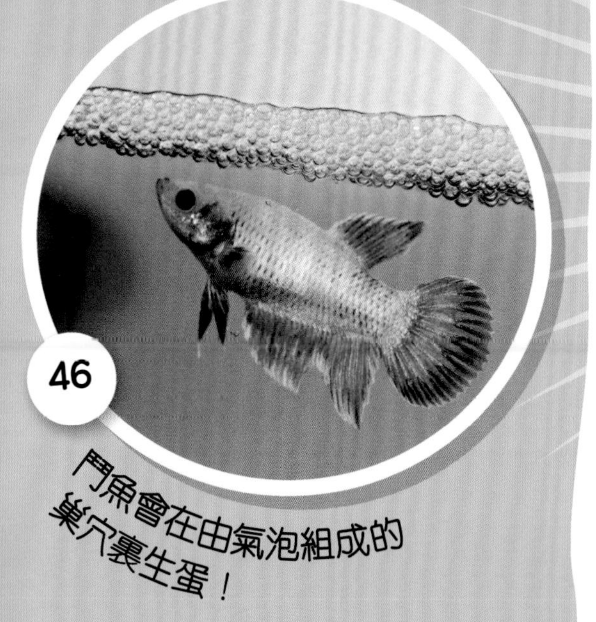

46

鬥魚會在由氣泡組成的巢穴裏生蛋！

慢得有道理

花栗鼠眼中的世界是慢動作呈現的，這能幫助牠們更快地對捕獵者作出反應，讓牠們有更大機會逃出生天！

47

48 貓之密語

成年的貓從不會呼喚彼此，牠們只會對人類喵喵叫！貓明白到牠們可愛的叫聲能獲取我們的注意，因此牠們會藉着叫聲來與人類朋友溝通。

49 鴿子也會鑑賞名畫？

我們能夠教會鴿子辨認出莫奈和畢加索畫作的不同之處！不過我們對牠們較喜歡哪一位畫家卻是毫無頭緒……

50 交通擠塞

在美國佛羅里達州周邊的水域裏，短吻鱷遇上水底交通擠塞時，會給海牛讓路！如果海牛想要經過一隻短吻鱷身邊，牠會一直推擠對方，直到短吻鱷讓路為止。

讓開！

51 多麼可愛！

海鸚的英文名字是「Puffin」，而牠們的寶寶稱為「Puffling」，這使海鸚寶寶贏得了史上最可愛寶寶名字的美譽！毛茸茸的海鸚寶寶出生在海邊陡峭懸崖上的洞穴裏。

52 靈巧的腳

紅毛猩猩能夠用雙腳進食！牠們的雙腳幾乎和牠們的雙手一模一樣，而且同樣擅長抓握樹枝、採摘樹葉和爬樹。

53 尾巴牽尾巴

雄性和雌性海馬會尾巴牽着尾巴，然後一起跳舞！牠們的尾巴就像人類的手，能用來抓握物件。

54 嘎哈哈！

作為美國的象徵，白頭海鵰常常被人視作高貴、威嚴的鳥類。不過，牠的叫聲與牠的形象大為相反，聽起來有點像傻乎乎的咯咯笑，為了挽回白頭海鵰嚴肅的名聲，電影中常常會用紅尾鵟的叫聲來為牠配音。

55 三五成羣

狼會聚集在一起生活，稱為狼羣。當幼狼只有數星期大時，狼羣的其他成員會陪伴幼狼玩耍，甚至充當保姆來幫助新手父母。

56 舒舒服服

在冬天 ，小熊貓會用牠們毛茸茸的尾巴當作被子來保暖！牠們的長尾巴也能幫助牠們在樹木與樹木之間飛躍時保持平衡。

57 哎呀！

就像人類一樣，蜜蜂與同伴相撞時也會發出一種類似「哎呀」的聲音！科學家認為，那種聲音代表蜜蜂感到驚訝。

58 迷你軟體動物

儘管名為巨型章魚，但北太平洋巨型章魚出生時只有數毫米長，大約等同一隻跳蚤的大小！不過牠們不會永遠這麼細小，因為成年北太平洋巨型章魚的臂展可超過 4 米長！

59 古怪的摯友

狹口蛙有時會與巨大的蜘蛛待在一起。這些蜘蛛可以輕易把狹口蛙吃掉，不過牠們卻不會這樣做，為什麼？其中一個理論認為，狹口蛙會把螞蟻吃掉，而這種螞蟻是蜘蛛蛋的主要捕食者；與此同時，狹口蛙也樂意受到這位可怕又多毛的蜘蛛伙伴所保護。

60 奇異的熊

你有聽說過灰北極熊嗎？不，那不是構詞時出了錯，那是北極熊和灰熊的混種！牠們也被稱為北極灰熊！

61 混血大貓

吼！

如果雄性獅子和雌性老虎一起生了小寶寶，這些寶寶便稱為獅虎！獅虎是貓科動物中體型最大的，長得比父母還要龐大。

62 非驢非馬

你大概能猜中斑馬驢是什麼了。沒錯！牠是斑馬和驢子的混種！

63 倒立式行走

阿爾福特跳兔無法像普通兔子一樣蹦蹦跳，這是由於牠們的脊椎出現基因問題，以致牠們會倒立着用前肢走動。

64 海龜寶寶的默契

默里河龜的寶寶在蛋裏已經會互相溝通，好讓牠們在同一時間孵化！這意味着牠們會在相同時間準備好離開巢穴，憑「龜」多勢眾換取安全。

65 哈啾！

這種聲音可能代表你的愛犬正玩得盡興！當狗隻玩得十分高興時，牠們或會故意打噴嚏，讓你笑開懷。

66

豈不可能！

浣熊的爪子比大部分哺乳類動物敏感 4 至 5 倍，科學家相信，浣熊不用真的看見物件，也能藉由觸碰物件來「看見」這件物件！

67

海豚保衛者

海豚可是人類的救星！牠們會藉由在人類泳客身邊繞圈游泳，直至鯊魚對泳客失去興趣為止，拯救泳客免受鯊魚攻擊。

68

我看見你了！

北極馴鹿的眼睛在冬天裏會改變顏色，從金色變成藍色！這能讓牠們在冬天昏暗的日子裏看得更清楚，找出任何潛藏的捕獵者。

地理奇聞錄

請翻到第28頁，找出這個男人正在彈奏什麼樂器。

69 派對皇宮

假如你想一嘗當皇室人員的滋味，快前往列支敦士登吧。列支敦士登的皇族每年都會在他們的城堡裏舉行一次派對，這派對是任何人都可以參加的！

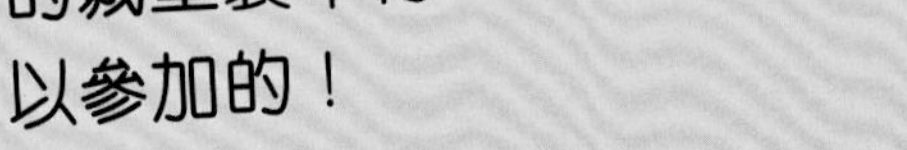

70 金字塔寶藏

世界的金字塔之都在哪裏？我猜你會說埃及！不過答案其實是蘇丹，這個東非國家擁有超過 200 個金字塔，它們源自古努比亞文明時期。

71 慶祝單身

在南韓，即使單身，也可以好好慶祝一番！南韓人會在 4 月 14 日慶祝黑色情人節，那是專為單身人士而設的情人節，在這天人們會穿上黑色的衣服，還會吃黑色的食物，例如吃炸醬麪。

這隻傻乎乎的狗只可能生活在一個有着搞笑名字的城鎮裏，請翻到第32頁找出這個城鎮在哪裏吧。

哪一個國家最愛香蕉和咖喱薄餅？請翻到第31頁找出答案吧。

72 猴子大餐

在泰國的華富里府，每年會舉行一次大型自助餐宴，招待數以千計生活在當地的獼猴。這個自助餐提供多達2噸的水果和蔬菜，讓獼猴開懷大吃。

73 走向綠色世界

在烏拉圭，近乎百分之百的電力都是來自可再生能源，例如：風能和太陽能。更驚人的是，他們在不足10年的時間成功轉型，由使用化石能源轉化為使用綠色能源！

74 太空中的微笑

太空人發現火星上的蓋爾撞擊坑時，全都露出會心微笑，因為這撞擊坑看起來就像一張快樂的笑臉！

嘩啦嘩啦！

75 在世界各地，每一分鐘便有 2,000 場暴風雨發生，這對鴨子和植物來說真是好消息！

76 大量植樹

2019 年，非洲國家埃塞俄比亞在一天裏種植了 3.5 億棵樹，打破了世界紀錄！他們希望這些樹木有助減少因氣候變化帶來的負面影響。

77 浪漫的珊瑚礁

在心形礁上，浪漫的氣氛無處不在。心形礁位於澳洲海岸的大堡礁 ，這個奇妙的結構是由珊瑚組成的！

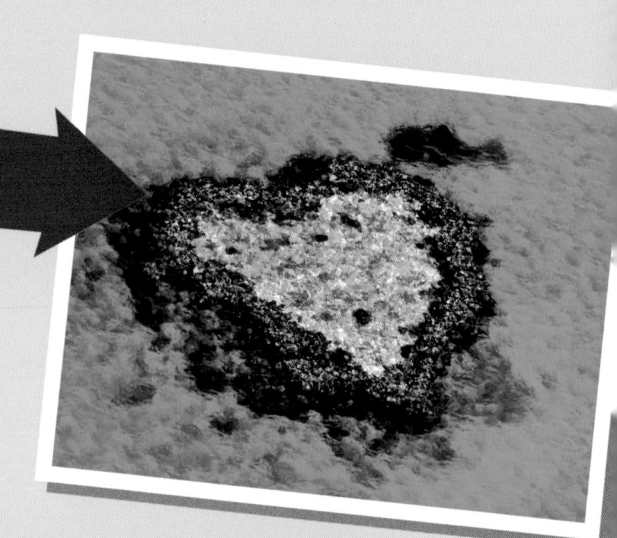

動物通道

78 在美國華盛頓，有一條專門給松鼠使用的橋，名為「Nutty Narrows Bridge」，這條松鼠橋讓松鼠免於橫越危險、繁忙的馬路。

79

感覺良好

根據 2020 年一份報告，芬蘭是世界上最快樂的國家！

80

有多少島嶼？

加拿大的維多利亞島是位於一個羣島裏的一個羣島裏的一個島。試試快速地唸這句句子 3 遍，看看你能念得順暢不？

81

貓咪來這邊

在日本，有許多愛貓人士，這個國家有大約 12 個貓島。在貓島上，貓的數量比人類還要多，比例是每 6 隻貓才有 1 個人！

82

流浪狗的晚餐

在土耳其伊斯坦布爾的街道，一些自動販賣機會發放食物和水給流浪狗，作為回收循環再造用的塑膠瓶的回報，真是又善心又環保！

83 寬度是多少？

澳洲比月球還要寬！月球的直徑是3,476 公里，而澳洲兩岸的距離是3,606 公里。

84 隨時購買三文魚

世界上第一部三文魚自動販賣機位於新加坡，假如你需要在回家路上購買便捷的晚餐，這部機器就最適合不過了！

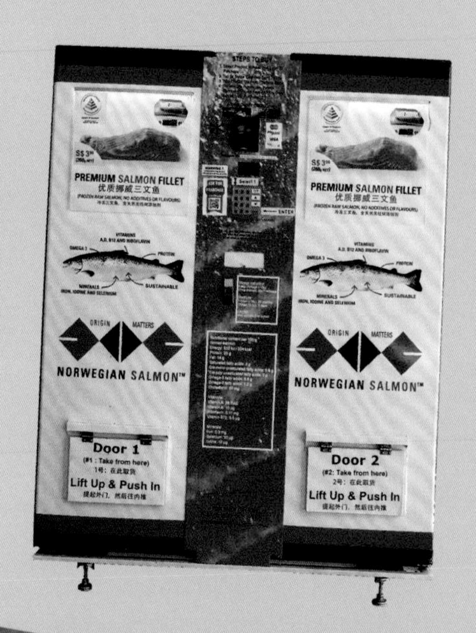

85 彩虹河

在哥倫比亞的卡尼奧克里斯塔爾斯河，有時會被稱為「液態彩虹」！每年有數個月，都能看見河水有如彩虹之美！這些美麗的色彩，是源自河牀裏植物的顏色。

86 空氣搖滾

想要演奏音樂，卻沒有樂器快到芬蘭去參加空氣結他世錦標賽吧！來自世界各地的參賽者會展示他們演奏空氣結他的技巧，互相競技，爭奪冠軍寶座。

87

綿羊保護區

如果你喜歡綿羊，福克蘭羣島便很適合你到訪了。島上人與羊的比例為每 1 個常住居民便有超過 150 隻綿羊！

龐大的水晶

88

墨西哥的奈卡水晶洞裏藏有一些巨大的水晶，水晶比電線杆還要粗大！這些巨大的白水晶是由礦物質石膏形成的。

89

長長的名字

新西蘭的一座小山擁有世界上最長單一地名的名銜，它的名字是 Taumatawhakatangihangakoauauotamateaturipukakapikimaungahoronukupokaiwhenuakitanatahu，簡稱塔烏瑪塔，這座小山是以傳說中的毛利人探險家塔瑪提亞（Tamatea）來命名的。

Taumatawhakatangihangakoaua……

90 深海大餐

位於馬爾代夫的伊特哈海底餐廳是一個非比尋常的用餐場地，餐廳在水平面下 5 米，有一個拱型的透明屋頂，可以觀看上方的海洋生物。要注意的是，不要讓這些海洋生物看見你點餐時選了海鮮啊！

91 慈善罰款

在美國的拉斯維加斯，健忘的司機有時可以藉由捐贈食物或學校物資，代替支付違例泊車罰款。

92 快樂的小蜜蜂

在荷蘭的烏特勒支，巴士站都變成了迷你蜜蜂保育區！當地巴士站的頂部種植了青草和野花，以吸引蜜蜂。

彬彬有禮的人

日本可能是世界上最有禮貌的國家。日本人生病時往往會戴上口罩，以免將疾病傳染給其他人。他們甚至會在開展塵土飛揚的建築工程前，向鄰居送上洗衣粉作為賠禮！

93

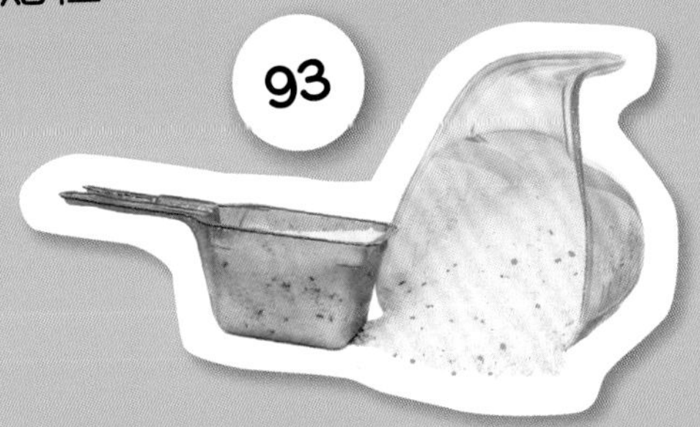

94 古怪的薄餅

在瑞典，香蕉和咖喱粉是一種廣受歡迎的薄餅餡料！

超短街道

96

位於蘇格蘭的埃比尼澤街只有2米長，你只需數步便能走過這條世界上最短的街道！

95

粉紅狂潮

不，這不是世界上最大攤打翻了的草莓奶昔，它其實是澳洲一個天然的粉紅色湖泊！希利爾湖那令人驚訝的色彩是源自湖裏一種水藻的顏色。

聖誕國度

97 想念喜慶節日？不如去一趟美國印第安納州的聖誕老人鎮！

98 零食小鎮

需要提神小食？何不前往美國密西西比州的熱咖啡社區，或是俄克拉荷馬州的曲奇鎮？

99 胡鬧地帶

最後，別忘了順道到訪俄勒岡州的傻瓜鎮！

100 巨大的生物

儘管美國猶他州的顫抖巨人森林看似一羣各自生長的樹，但它其實是單一的巨大生物！森林裏全部 47,000 棵樹都是複製樹，共用同一組根部系統。

101

藍色火焰

印尼的伊真火山爆發時會產生仿如電流的藍色火焰！火焰驚人的顏色來自含有硫磺的氣體，當它們接觸到空氣時會起火。

企鵝軍官

102

一隻國王企鵝在挪威陸軍中擁有準將的頭銜！這隻老練的企鵝名叫尼爾斯·奧拉夫爵士，牠生活在蘇格蘭的愛丁堡動物園。

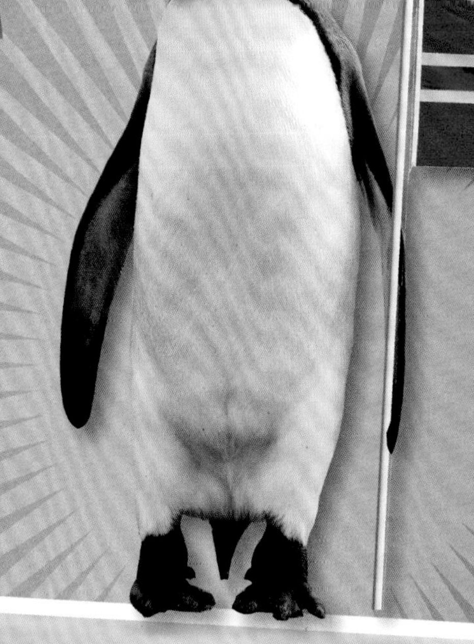

越大越好

103

冰島的土地每年大約增加 5 厘米！這個國家每年都會變得更大，因為它位於兩塊互相遠離的板塊上，板塊之間每年都會產生出更多土地。

104 蘿蔔之夜

你可能聽說過南瓜雕塑，那麼蘿蔔呢？在墨西哥的瓦哈卡市，參賽者會在 12 月 23 日展示他們用大量蘿蔔雕刻而成的作品，這些雕塑包括了動物、建築物和聖誕節的場景。

105 早晨，午安

當俄羅斯西部的居民剛剛醒來時，在東部海岸的居民已經差不多結束一天的工作！俄羅斯是一個遼闊的國家，國土橫跨了 11 個時區。

106 自然國度

庫克羣島是一個位於自然保護區裏面的國家！這個國家全部 15 個島嶼都位於世界上最大的自然保護區內，這個保護區涵蓋了接近 200 萬平方公里。

107 親切的希臘

希臘人喜歡對陌生人表達關懷，面對陌生人時，他們表現得很有人情味和熱情，讓訪客感到賓至如歸。

108

備受愛護的樹

澳洲墨爾本大約有 70,000 棵樹擁有自己的電郵地址，以便路人報告關於樹木的任何問題，只是沒料到人們會不斷給這些樹木傳送情書和詩歌！

神話王國

109

蘇格蘭的國獸是獨角獸！

蜜糖的奇跡！

110

在 2019 年法國巴黎聖母院的災難性大火中，居住在教堂屋頂的 3 個蜂巢裏的蜜蜂竟然奇跡生還，這些蜜蜂完全沒有受火災影響，並且繼續製造蜂蜜。

111

菠蘿長存

南非城鎮巴瑟斯特是世界上最巨大菠蘿建築物的所在之處！這座建築物的靈感來自當地眾多的菠蘿農場。

112

真瘋狂！

覺得餓了嗎？不如到訪美國新墨西哥州的阿拉莫戈多，看看世界上最大的開心果！

113

攀爬高手

勇敢的攀爬好手如果能攀上位於澳洲古默拉查的全球最高木馬內部梯子的頂端，便可以獲得證書。這匹木馬超過 18 米高。

114 厲害的發電廠

丹麥哥本哈根的科本希爾發電廠肯定是全球最厲害的發電廠。它不僅能將廢物變成能源，還設有屋頂人造滑雪道、登山徑，還有世界上最高的攀石牆！

115 這麼近，那麼遠

有兩個相鄰的島嶼在時間上相差了幾乎一天。雖然兩個迪奧米德島之間只有3.8公里遠，但它們一個是俄羅斯的一部分，另一個是美國的領土，令它們分別處於國際換日線的兩邊。

116 焚燒的瀑布

雖然聽起來不合常理，但美國紐約一道瀑布裏面確實有火焰燃燒，這是由於天然氣從這道瀑布裏的洞穴釋放出來，並被點燃起來。

117 啦，啦，啦

西班牙的國歌沒有任何歌詞！

慈善廚房

118

所有錫克教的謁師所都設有一個社區廚房，名為「慈善廚房」，在這裏每天都會預備素食餐點，任何人都可以在慈善廚房用餐，不論什麼宗教信仰，均無任歡迎。

注：謁師所是錫克教敬拜用的廟宇。

陽光你好！

119

如果你想尋找藍天，就出發到美國亞利桑那州的尤馬縣吧，那兒是地球上最陽光普照的地方，白天的時候有 90% 的機會是晴天！

120

無蚊區

在冰島，不會發生被蚊子叮咬後的情況，因為冰島完全沒有蚊子！

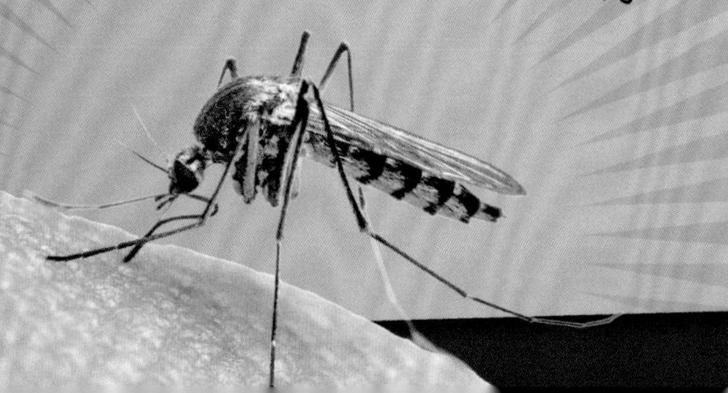

121

有趣的旗幟

覺得千篇一律的長方形旗幟太沉悶？那就看看尼泊爾的旗幟吧！它是世界上唯一一個不採用長方形國旗的國家，尼泊爾的國旗外形是由兩個三角形連接起來的。

122

朱古力狂熱

瑞士是朱古力愛好者的天堂，人們平均每年每人會吃掉接近 9 公斤朱古力，比其他任何國家都要多！

123

古怪博物館

英國有許多獨一無二的博物館，包括剪草機博物館、狗項圈博物館，還有鉛筆博物館。如今我們出外旅遊時，有更多不同的行程可以選擇了！

124

分享愛心

2015 年，伊朗的馬什哈德設立了第一面慈善牆。人們將衣服掛在牆壁街道的衣架上，讓任何有需要的人拿走，之後這個概念傳遍世界各地，支持着許多需要扶助的人。

125

閃閃發亮！

浮游生物、細菌和水母身體裏的化學反應可衍生出一場全天然的光影表演！這些光稱為生物發光，在世界各地許多海洋裏都可以看見。

奇妙的人生

誰吞下了一架飛機？請翻
到第44頁看看吧。

126 卡通夫婦

為米妮老鼠和米奇老鼠配音的配音員在現實生活中也墮入了愛河！魯西·泰勒（Russi Taylor）和韋恩·奧爾瓦恩（Wayne Allwine）在給一套卡通片工作時相識，並於 1991 年結婚。

127 月球上的信息

1972 年，阿波羅 17 號進行任務期間，太空人尤金·塞爾南（Eugene Cernan）在月球表面寫下女兒名字的首字母「TDC」。因為月球不會出現風或水引致的侵蝕，他甜蜜的信息仍舊留在那裏，直到今天！

128 動人的節日氣氛

2015 年，美國紐約市民卡蘿爾·薩奇曼（Carol Suchman）真真正正地活出了聖誕精神。她買下了一間即將結業的店舖裏的所有玩具，送給住在庇護所裏的孩子，作為聖誕禮物。

翻到第42頁，找
這隻神氣活現的龍
蝦到底是誰的寵兒。
請翻到第46頁，揭
開關於這個封瓶的
驚人巧合吧。

129 回家的路

在印度，賈蘭達爾·納亞克（Jalandhar Nayak）把兒子送到寄宿學校讀書，不過他很少機會探望兒子，因為那是一段長達10公里的旅程，他要花3小時攀山越嶺才能到達學校。為此，納亞克拿起他的工具，自己興建一條新的道路！如今，他的兒子能較常回家探望他了。

130 創意外套

聰明的美國設計師薇羅妮卡·斯科特（Veronika Scott）創作出一件能變成睡袋的外套，給無家可歸者使用。她也僱用了無家者來製作外套，並將收益用於教育公益，支援其他有需要的人。

131 新的超級英雄

你大概聽說過蜘蛛俠這個名字吧！那麼藍耳俠呢？這個 Marvel 漫畫裏的超級英雄有聽力障礙，他的面世是為了鼓勵一個配戴助聽器的小男孩！

132 全力奪金

美國體操運動員西蒙娜·比拉絲（Simone Biles）贏得的獎牌，比世界錦標賽史上的任何一位女性體操選手都要多！

133

大賣的曲奇

來自美國加州的 8 歲女孩莉莉·邦珀斯（Lilly Bumpus）是冠軍級的曲奇賣家！在 2021 年，她售出了令人驚訝的 32,484 盒慈善曲奇，為對抗癌症的兒童籌集款項。

134

輪椅專用坡道

麗塔·埃貝爾（Rita Ebel）住在德國的哈瑙，她為了所居住的城市有許多商舖都無法讓輪椅進出而感到沮喪，因此她用樂高積木興建了輪椅專用坡道！

135

大大的擁抱

1998 年，菲利普·布瓦（Philip Boit）參力了 10 公里越野滑雪賽事，成為第一個參加冬季奧運會的肯尼亞人。布瓦當時是最後一名完成賽事，不過，勝出賽事的挪威運動員比約恩·戴利（Bjorn Daehlie）要求押後獎牌頒發儀式，好讓他能在布瓦完成賽事時給對方一個大大的擁抱！

136

怪異的寵物

19 世紀的法國詩人熱拉爾·德·內瓦爾（Gèrard de Nerval）有一隻寵物龍蝦，他還給這隻龍蝦繫上藍色絲帶，帶牠外出散步！

你好！

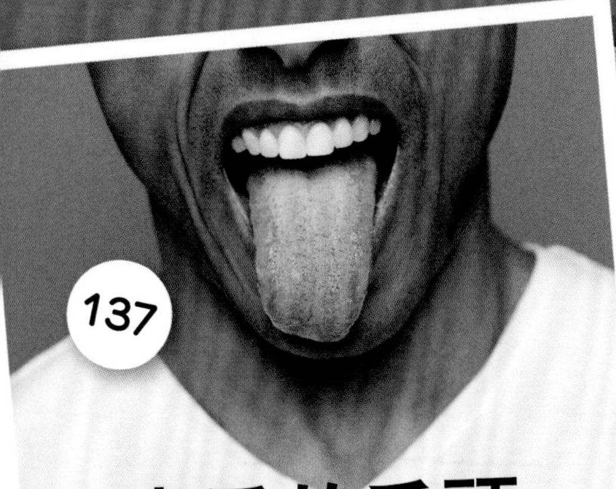

137

貴重的舌頭

2009年，專業咖啡品評師熱納羅·佩利奇（Gennaro Pellicci）的味蕾獲1,000萬英鎊投保！那顯示了他的品味有多高！

138

價值不菲的雙腿

足球名將大衞·碧咸（David Beckham）於2006年給雙腿投保了1億英鎊！

139

船難倖存者

維奧萊特·杰索普（Violet Jessop）是位幸運的女士。她不僅在1912年鐵達尼號沉沒事故中生還下來，還在1916年鐵達尼號的姊妹船不列顛號沉沒事故中倖存。

140

勇敢逃亡

在17至19世紀的美國，要從奴役中逃脫出來是極為困難又危險的。一個名叫哈莉特·塔布曼（Harriet Tubman）的女人，她不單從奴役中逃脫，還勇敢地救助了最少300人脫離奴役。

141

超級大胃王

米歇爾·洛蒂托（Michel Lotito）胃口非常大，他曾經吃掉整架飛機！當然，他是一片接一片地吃，總共花了兩年時間才吃完這頓龐然大餐！

142

拯救生命

尼古拉斯·溫頓爵士（Sir Nicholas Winton）在第二次世界大戰期間，拯救了 669 個兒童，大部分是猶太人，他協助安排將這些兒童從捷克斯洛伐克運送到英國及其他國家。

聰明的黑猩猩

143

全賴靈長類動物學家簡·古多爾（Jane Goodall），我們才得知黑猩猩是非常聰明的動物，懂得製作及運用工具，古多爾對黑猩猩的研究改變了我們對這種動物的認識。

144

樂善好施的得獎者

加拿大彩票得獎者湯姆·克里斯（Tom Crist）獲得 4,000 萬加元獎金後，將獎金全數捐贈給癌症慈善機構。他慷慨的捐贈是為了紀念他死於癌症的妻子。

145 君主兼技工

英女王伊莉莎白二世（Queen Elizabeth II）雖然是皇室人員，但她並不怕弄髒雙手！在第二次世界大戰時，她將自己的冠冕棄置一旁，並受訓成為英軍的技師和貨車司機！

146 破紀錄的人

阿什里塔·弗曼（Ashrita Furman）是個破紀錄的紀錄創造者！他曾創下了超過 600 項世界紀錄，目前是大約 200 項世界紀錄的保持者。他的第一項紀錄是連續開合跳次數最多，其他紀錄還包括吹熄生日蛋糕上最多枝蠟燭。

147 聰明的狗

狗隻教授莫妮卡·埃爾哈利法（Monica Elkhalifa）教會她的狗隻阿基拉超過 90 個字詞！阿基拉還能夠利用閃卡數到 10，完成簡單的算術，以及辨認顏色。

答案是9？

148 勇救嬰兒

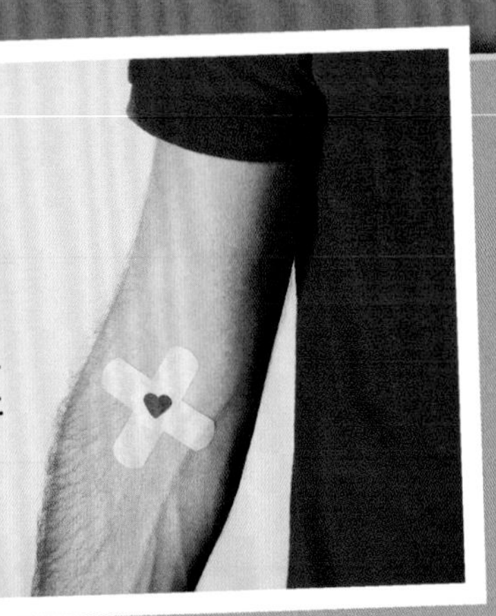

一個澳洲男子透過捐血救回了超過 200 萬個嬰兒的性命。詹姆斯．哈里森（James Harrison）的血液裏含有一種罕見的物質，可製作藥物，用來防止新生嬰兒出現嚴重的健康問題。

伸出援手

149

1992 年，英國運動員德雷克．雷德蒙（Derek Redmond）在奧運賽跑接力賽的準決賽中受傷了，雷德蒙的父親當時正觀看賽事，馬上跑過去幫助兒子，兩人最後一起衝過了終點！

150 全新的家

中國商人熊水華成長於鄉村，那兒的鄰里都互助互愛。在他賺取了數以百萬計的財富後，他決定要回饋自己的社區，並將村內簡陋的木屋全部替換成豪華的住宅！

151 相距50年的發現

1969 年，13 歲的保羅．吉爾摩（Paul Gilmore）將一個載有字條的封瓶從印度洋上的一隻小船上丟進大海裏。正正在 50 年後，另一個 13 歲的少年吉阿．艾略特（Jyah Ellott）在澳洲南部和爸爸釣魚時，竟發現了這個封瓶！

152 太空送別

發現冥王星的天文學家克萊德．湯博（Clyde Tombaugh）在死後終於能夠前往這顆矮行星了，他的骨灰登上了美國太空總署的新視野號太空船，這艘太空船正在探索冥王星，和太陽系的外部邊緣。

153 薯片棺木

說到非同尋常的葬禮，品客薯片包裝罐的發明者正是葬於一個薯片罐裏！弗雷德里克．博爾（Fredric Baur）的骨灰按照他的要求安葬在一個原味品客薯片的罐子裏。

154 戰時連身衣

第二次世界大戰時，英國首相温斯頓．邱吉爾（Winston Churchill）很喜歡穿連身衣！他會穿着由羊毛、帆布，甚至天鵝絨製成的連身外衣！這種連身衣被稱為「警報服」，因為一旦發生空襲時，這種衣服可以輕易穿上。

155 避過一劫的貓

勇敢的水手他特沙蓬．沙伊（Thatsaphon Saii）跳進波濤洶湧的大海，游到一艘停泊在泰國海岸熊熊焚燒的船上，拯救了 4 隻小貓！

156

漫畫狂迷

鮑勃·布雷托爾（Bob Bretall）擁有超過101,000本不同的漫畫，成為擁有最多漫畫的紀錄保持者！由於藏書數量如此龐大，他要將部分漫畫保存在自己的車房裏。

157

強大的先驅

梅·杰美森（Mae Jemison）是一位拓荒者！在當上註冊醫生，並在1992年成為第一位前往太空的非裔美國女性後，她成為了一位大學教授，並且是許多慈善組織的主席。

壞球

158

在1957年一場棒球賽上，倒霉的球迷艾麗斯·羅思（Alice Roth）被偏離軌道的棒球接連擊中兩次。她首先被球擊中臉部，在她因為臉部傷勢被抬走以接受治療時，又再被球擊中腿部！

159

為她歡呼！

肯尼亞的社會活動家溫格里·馬阿薩伊（Wangari Maathai）創立了綠化帶行動，並且舉辦了多項植樹活動，在非洲各地種下了3,000萬棵樹！馬阿薩伊也是第一個奪得諾貝爾和平獎的非洲黑人女性。

模仿比賽的輸家

160

美國歌手桃麗·芭頓（Dolly Parton）參加了桃麗芭頓模仿比賽，竟然最終落敗了！

161 古代護照

拉美西斯二世（Ramses II）是唯一擁有護照的古埃及人！為了將拉美西斯二世的木乃伊從埃及運送到法國，以進行保存工作，政府需要為他的遺體簽發護照。在護照上，拉美西斯二世的職業被列為「國王（已歿）」。

你好！我的名字是

?

162 多長的名字！

胡貝特·布萊恩·沃夫斯里積士丁可辛貝格多夫（Hubert Blaine Wolfeschlegelsteinhausenbergerdorff）相信是歷來擁有最長英文名字的人。其實，他的中間名共有 26 個，對應 26 個英文字母，包括昆西（Quincy）、澤爾士（Xerxes）和宙斯（Zeus）等，名字字數總共有 747 個！

163 狗狗捐獻

肯·阿曼特（Ken Amante）是個 9 歲的小男孩，他花光零用錢來餵飼家鄉菲律賓達沃斯市內的流浪狗。他的愛狗善舉在世界各地流傳後，一個網絡籌款網站便成立起來，並籌集了 27,000 英鎊捐款，而阿曼特亦運用這筆善款開設了寵物庇護所！

溫暖人心的歷史

這些英勇的狗如何助人化險為夷？請翻到第57頁看看吧。

164

多加一人

1866年，歐洲國家列支敦士登派出80名士兵參戰，而撤軍時卻有81人，原來一名意大利士兵與列支敦士登的軍人成為好朋友，並決定加入他們的軍隊。

165

真正的瑪麗

童謠《瑪麗有隻小綿羊》其實是以一個真實存在的人為藍本而創作的！瑪麗·索耶（Mary Sawyer）是個美國女孩，她親自照料一隻寵物羔羊，並帶着牠一起到學校上課呢！

166

呀荷你好！

亞歷山大·格雷厄姆·貝爾（Alexander Graham Bell）取得了第一部電話的專利，他希望人們接電話時說「呀荷！」，可惜的是，這種做法並沒有流行起來。

請翻到第52頁，找出是誰在第二次世界大戰時拯救了一隻象寶寶吧。

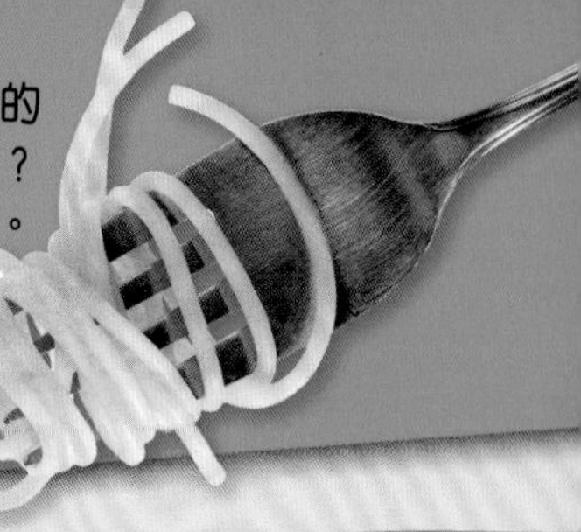

你會不會被一個荒唐的愚人節惡作劇欺騙到？請翻到第54頁看看吧。

167 鬱金香的傳統

1945 年，荷蘭向加拿大送出 100,000 個鬱金香球根，以感謝加拿大讓荷蘭的王室成員在第二次世界大戰時留在當地。荷蘭此後一直有向加拿大送贈鬱金香球根，而這個傳統已演變成規模龐大的鬱金香節！

168 咯咯？

威廉．莎士比亞（William Shakespeare） 可能在他那不怎麼好笑的悲劇作品《馬克白》中，寫下了第一個敲門笑話。

注：敲門笑話是一種英語笑話，以雙關語作為笑點，通常都是由兩人對答而組成的。

169 無窮無盡的繃帶

如果把纏住古埃及木乃伊的繃帶拆開來，竟然長達 1.6 公里呢！

有翼的英雄

170

在第一次世界大戰時，一隻名叫謝爾阿米的英勇信鴿拯救了 100 名美軍的性命！那時，美軍同伴錯誤地向這 100 名美軍開火，直至謝爾阿米飛越槍林彈雨，送遞信息，叫美軍同伴停火！

171

謝謝你！

馬雅人認為蜜蜂和蜂蜜是神聖的，在養蜂的過程中，任何意外被殺死的蜜蜂都會用樹葉包裹起來，好好安葬！

說梅乾！

172

在 1840 年代，拍照公司會叫人說「prunes（梅乾）」，而不是說「cheese（芝士）」！那時候，人們比較喜歡照片中的自己有一個櫻桃小嘴，而不是咧嘴而笑！

173

大寶寶

在第二次世界大戰期間，動物園管理員丹妮絲．奧斯汀（Denise Austin）從自己工作的貝爾法斯特動物園裏將一隻大象寶寶帶回家！讓牠生活在自己家的後院裏。當時的動物無法留在動物園裏，以免遇上空襲時會受傷。

時間的煩惱

174

在古羅馬，某些小時會比其他小時更長！當時一天有 24 小時，但總是分成 12 小時在白天，12 小時在黑夜，那麼，一年裏，白天的時間和黑夜的時間長度便不一樣了。

175 希臘式笑話

古希臘人喜愛開懷大笑，甚至擁有許多笑話書！以下是一個希臘笑話，也許會令你莞爾一笑……

一個病人去看醫生，說：「醫生，我起牀後有半小時覺得昏沉模糊。」

醫生回答說：「那麼晚半小時才起牀吧！」

古人的滑稽笑話

176 這是另一個古希臘笑話，肯定讓你咯咯大笑！

國王的髮型師問國王他想如何修剪頭髮。國王回答說：「我想安靜地剪髮。」

笑看歷史

177 那麼這個古希臘笑話又如何？

一個吝嗇的守財奴立下遺囑時，竟將自己列為遺產繼承人之一！

178

騙倒你了！

你會不會被第一個出現在電視上的愚人節惡作劇騙倒呢？1957 年 4 月 1 日，英國廣播公司播出了一齣紀錄片，聲稱意大利粉是從意大利粉樹上長出來的！

179

鸚鵡問題

美國總統安德魯．杰克遜（Andrew Jackson）養了一隻滿口污言的寵物鸚鵡！由於這隻鸚鵡太常說髒話，在 1845 年杰克遜舉行喪禮時，人們不得不將牠帶離現場，因為牠吵鬧得實在太過份了。

180

送你一頭牛

在 2001 年 911 恐怖襲擊事件過後，肯尼亞的馬賽人向美國捐贈了 14 頭牛，作為慰問與團結的象徵。但因為運送安排太困難了，這些牛最終沒有被送到美國，而是留在肯尼亞生活。美國的外交官員提議把從這些牛賺得的金錢用來資助當地兒童的教育開支。

181 和平之夜

1914 年的聖誕前夕，參與第一次世界大戰的英國和德國軍人要求在聖誕節停火，他們互相贈送禮物，還一起踢足球。

182 中場休息

足球是促進和平的運動！ 2006 年，足球制止了一場戰事。當時，科特迪瓦的內戰宣告停火，好讓交戰雙方能夠觀看國家足球隊的球賽。

183 至死不渝的愛

古埃及人會將死去的寵物貓製成木乃伊！貓在古埃人心中是神聖的動物，他們相信變成木乃伊的貓在死後世界裏會和主人重聚。

184 番茄療法

茄汁曾被人當作藥物發售！在 1830 至 1840 年代，人們宣稱茄汁能夠治療腹瀉和消化不良。時至今日，我們知道茄汁是美味的醬汁，而不是治病的靈藥！

185

向太陽投降

在公元前 6 世紀，一場碰巧發生的日蝕嚇壞了兩個伊朗王國，這使兩國停止交戰，並締結和約。真慶幸我們有太陽啊！

186

價值連城

在中世紀，黑胡椒比黃金更值錢！由於黑胡椒只會在熱帶地區生長，因此要將黑胡椒運送到歐洲的路程非常漫長，這說明了為什麼黑胡椒如此昂貴！

187

兔子驚魂

法國皇帝拿破崙．波拿巴（Napoleon Bonaparte）外出狩獵時，曾經被數百隻兔子包圍呢！

188

慢條斯理的椋鳥

1949 年，位於英國倫敦的大笨鐘走慢了 4.5 分鐘，那是因為有一羣椋鳥降落在分針上，令分針動彈不得！

189

遠古的塗鴉

塗鴉並不是什麼新鮮事！大約 2000 年前，一個到訪法老拉美西斯六世（Ramses VI）墳墓的遊客便曾留下一段塗鴉信息，說：「我到此一遊，不喜歡這裏任何東西，除了那副石棺！」

190

美麗的貝殼

古羅馬皇帝卡利古拉（Caligula）曾帶領他的軍隊橫越法國，入侵英格蘭。不過當他抵達英倫海峽的岸邊時，他叫停了進擊行動，反而下令他的軍隊收集當地的貝殼！

191

狗狗英雄

1925 年，美國阿拉斯加一個偏遠的城鎮爆發可怕的白喉感染，幸好一隊雪橇犬前來救援，牠們穿越狂風暴雪，在 6 天裏狂奔了超過 1,000 公里，為村民帶來藥物。

192 將軍！

在 18 世紀，一部名叫特克的神秘象棋機械人聲名大噪，所有人無不給它那不可思議的人工智能而震懾！直到人們揭發這部機械人裏面其實躲藏着一個象棋冠軍為止！

193 異乎尋常的豆子

有些古希臘人不吃蠶豆，因為他們相信蠶豆裏面藏有死者的靈魂。

詹姆士，是你嗎？

194 循環再造專家

在「環保」這個詞語還未出現之前，阿茲特克人早已是環保戰士！在阿茲特克城市特諾奇蒂特蘭，人們會受僱從街上收集可循環再造的廢物，既乾淨又環保！

195 救救芝士！

英國著名的日記作家塞繆爾·佩皮斯（Samuel Pepys）在 1666 年倫敦大火中拯救了一塊巨大的巴馬臣芝士！他將這塊芝士和其他貴重的物品埋在他的花園裏。

196

在財富中沉眠

古埃及法老圖坦卡門（Tutankhamun）對生命中的華美事物見怪不怪，就連他的棺木也不例外！這副棺木內層是由厚金箔製成，在今天價值超過 100 萬英鎊！人們相信它是世界上最昂貴的棺木。

197

乾淨又健壯

厭倦了你日常的洗澡方式？何不重新採用 19 世紀時的腳踏花灑？你需要踩動花灑下方的單車，才能啟動上方的花灑頭！

稀奇古怪的聖誕卡

198

英國維多利亞時代的聖誕卡有點……不尋常。與現代聖誕卡封面上印有白雪紛飛的場景和禮物不同，維多利亞時代的聖誕卡的主角是騎着龍蝦的老鼠，還有與甲蟲一起跳舞的青蛙！

199 冰涼的發明

1905 年，一個 11 歲的男孩因為一時粗心大意而發明了雪條！他將一杯含糖的飲料留在室外一整晚，結果飲料在杯子裏凍結了，還附有一根攪拌木棒！

200 慷慨的禮物

儘管美洲原住民喬克托族本身擁有的錢非常少，在 1847 年他們向受到愛爾蘭大饑荒影響的人捐贈了 170 美元。到了 2020 年，愛爾蘭回報了這份恩情，向受新型冠狀病毒（COVID-19）疫症衝擊的美洲原住民族捐款。

太空伙伴

經過許多年的競爭，「太空競賽」於 1975 年美國太空船和蘇聯太空船在軌道上碰頭，並連接在一起後宣告結束。美國和蘇聯太空人在太空裏見面，並交換了禮物。

201

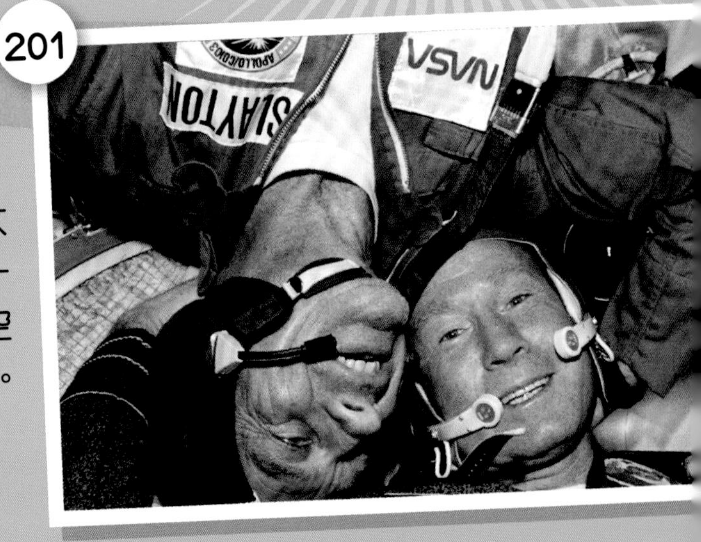

202 鍋子戰爭

在 1784 年荷蘭發生的鍋子戰爭中，參與者只開了一槍，而唯一的傷亡者就是一個湯鍋！如果其他戰爭也像這一場戰爭一樣就好了！

203 短暫交火

1896 年，英桑戰爭在英國與東非的桑給巴爾蘇丹國之間發生，歷時 40 分鐘便結束了。這是史上最短促的戰爭！

204 歷史悠久的酒店

日本山梨縣的西山温泉慶雲館是世界上最古老的酒店。它自公元 705 年便已開業！在它開業的那一年，英國是由盎格魯的撒克遜人統治的，而馬雅人則正在中美洲興建金字塔當中！

205 莎士什麼？

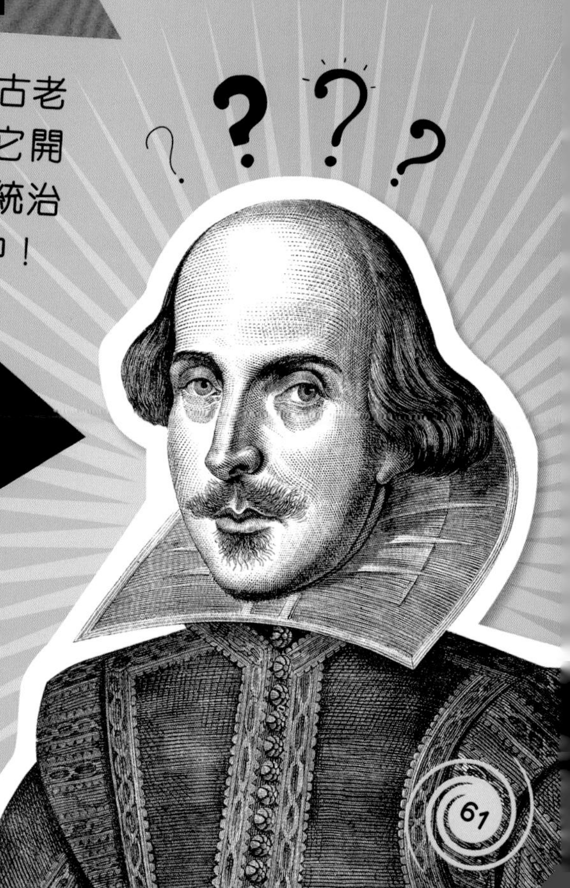

英國著名作家威廉・莎士比亞無法決定要如何拼寫自己的名字！他曾經使用的拼法最少有 5 種——Shaksper、Shakespe、Shakespere、Shakspeare 和 Shakespeare ！

歡欣的好消息

請翻到第69頁，找出為什麼肯尼亞的大象都在慶祝吧。

207 寶寶速遞！

澳洲大堡礁迎來一位新英雄——一名叫 Larvalbot 的機械人！這個水底機械人會將新生的珊瑚寶寶運送到大堡礁受損的區域。

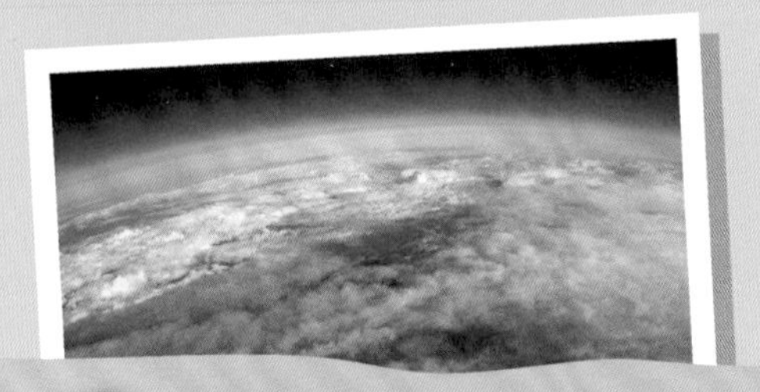

206 臭氧層重生

科學家相信，臭氧層到了 2060 年代應該會全面復原！臭氧層自 1980 年代便開始慢慢恢復原狀，因為當時用於噴霧劑和雪櫃會破壞臭氧層的化學物質被禁止使用了。

208 對抗海星

Larvalbot 不是拯救大堡礁的唯一海洋超級英雄。Rangerbot 是一個珊瑚礁保護機械人，負責巡邏大堡礁周邊，並會摧毀會吞吃珊瑚的棘冠海星。

209 青春常駐

全球的平均預期壽命已從 1960 年的 50 歲增加至 2019 年的 72 歲。我們有額外的 22 年去享樂了！

請翻到第65頁，發掘更多令人興奮的太空探險大計吧。

向塑膠瓶說再見吧！請翻到第64頁去了解更多。

210 點亮電燈

全球各地的電燈陸續點亮了！2020年，沒有得到電力供應的人數由8.6億下跌至7.7億！

211 河貍回來了

許多物種都被重新引入回到牠們之前滅絕了的地方。河貍大約在400年前被捕獵至在英國絕跡，不過如今蘇格蘭、威爾斯和英格蘭已迎回接近500隻河貍了。

212 加州居民回歸

1982年，野生的加州神鷲剩下少於22隻。如今牠們已成功被重新引入北美洲部分地區，而牠們的數量已回升至超過200隻！

213 回到澳洲

經過3,000年後，有塔斯曼尼亞惡魔之稱的袋獾終於重新被引入澳洲本土！這種細小的惡魔曾在澳洲絕跡，但繼續在塔斯曼尼亞島上存活下來。

對呀，我回來了！你有意見？！

214 閱讀為王

在全球各地，年輕人的識字率都正在提升！越來越多年輕人可以享受閱讀和寫作的樂趣。

215 塑膠大胃王

科學家發現，有一種酶能夠在數小時內將 PET 塑膠飲品瓶分解，以便循環再造！經循環再造的塑膠非常適合再次製成新的瓶子。

216 全部吃掉

還有更多關於塑膠的好消息呢！那就是一種用於包裝食物的全新物料正在研發當中！這種生物可降解的物料是由海藻和肉桂製成的，不僅能包裝食物，亦有助食物的保鮮期長一些！

217 給所有人的互聯網

網絡緩衝可能很快就會走進歷史！現時，利用在大氣層高空的人造衞星，已經可以將高速的網絡連接帶給地球上的每一個人。

218 彩色顯示

想要看看你身體內部的彩色版本？第一幅彩色的 X 光片是在 2018 年拍攝的。人們正在致力研發這種科技，好讓醫生能利用這些彩色 X 光片改善診斷及治療成效。

219 更多月球探索！

在未來數十年裏，我們將會更加了解最接近我們的鄰居——月球，因為美國太空總署和歐洲太空總署正計劃重返月球！他們希望派出太空人和機械人到月球表面，並在環繞月球的軌道上設立太空站。

220 安全的海洋

快向海洋污染和過量捕魚說再見！原始海洋計劃已經建立了 22 個海洋保育區，並計劃將地球上三分之一的海洋變成受保護的海洋保育區。

221 月球上的液體

這是正式的結論——月球上確實有水！美國太空總署在月球上的日照區發現少量水。科學家如今正研究這些水從何而來。

222 平等教育

自 1995 年起，全球各地有額外 1.8 億個女孩開始上學！更重要的是，如今就讀大學的女性比 20 年前增加了 3 倍。

223

地雷絶跡

40 年以來，福克蘭羣島上的地雷終於全部清除了！這些地雷是在 1982 年福克蘭羣島爆發衝突時埋下的。

人工智能的成就

224

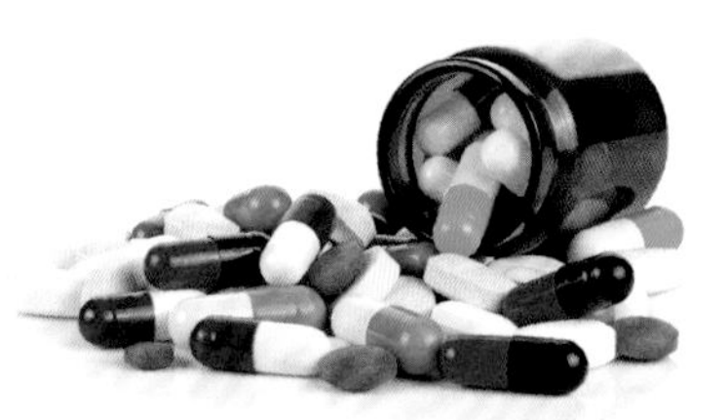

人工智能協助科學家發現了一種新的抗生素！人工智能程式研究了不同分子的特性，並建議部分分子讓科學家作測試，這令研發過程節省了大量時間！

225

外星人警報

留意一下關於外星人的新聞！科學家在金星的大氣層內發現了一種氣體，這種氣體在地球上是由微生物釋放出來的。那麼，這是否意味着金星上有外太空生命的存在？

剪剪貼貼

226

基因剪刀技術將為科學帶來革命性改變！它能讓科學家剪斷及修訂基因物質。在未來，基因剪刀技術的用途將包括治療疾病，例如癌症，並培養更具抵抗力的農作物！

227

健康的肺部

在很多國家，因吸煙相關疾病而死亡的人數減少了。由於空氣質素的改善，人類的肺部比以往更健康了！

小行星的焦慮

228

美國太空總署確認，在未來的 100 年，地球不會受小行星撞擊！之前人們擔心，到了 2068 年，可能會有一顆 340 米寬的小行星撞擊地球，不過如今科學家已經排除這個可能性了。

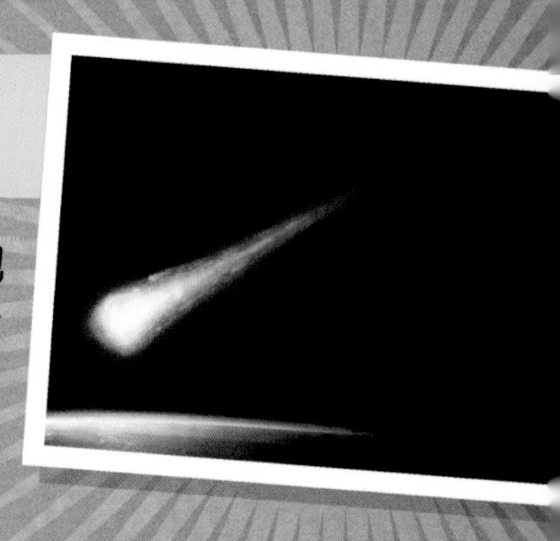

229 再見碳排放

人類正在邁向更綠色的未來！蘇里南和不丹已經達到溫室氣體淨排放量為零，而其他許多國家亦已經承諾在 2050 年前達到這個目標。

230

太空探索者

我們將會對太空有更多認知了！詹士韋伯太空望遠鏡於 2021 年升空，正按原定計劃探索太空，蒐集關於宇宙歷史的數據。

黑猩猩通電話

231

在新型冠狀病毒疫症之際，人類並不是唯一會透過視像電話保持聯絡的。在捷克動物園，有兩隻黑猩猩因為沒有遊客到訪而百無聊賴，因此牠們每天都會透過視像通訊聊天取樂！

232 蚊子再見

全賴更好的藥物和預防措施，例如防蚊網等，在 2000 至 2019 年間，因患上瘧疾而死亡的人數減少了 760 萬。

233 打擊小兒麻痺症

野生的小兒麻痺症病毒已在非洲絕跡了。近至 1990 年代，仍有數以千計兒童因為小兒麻痺症而癱瘓，如今非洲的病毒絕跡，實在有賴於大型疫苗接種計劃。

234 樹木的勝利

樹木在英國各地不斷冒起！據估計，如今英國國內的樹林數量已經和中世紀時期的相同了。

235 叮噹

荷蘭的生態學家發明了全世界第一個魚類門鈴！魚類愛好者可以收看網上直播，看看是否有魚兒正在水道門前等候，如有的話，魚類愛好者可以按響門鈴，提醒水道管理人員打開水道門，讓魚兒游過。

236 乾淨的洗手間

2014至2019年間，
度興建了 9,000 萬
廁所，數量驚人！
今印度有 96% 地區
有廁所可以使用。

237 碳排放轉換器

嶄新的科技能夠收集大氣層的碳排放，並將收集得到的碳變成原子筆、瑜伽墊，甚至牙膏！亦因為空氣中的二氧化碳減少了，也令全球暖化緩和了。

239 太空旅行

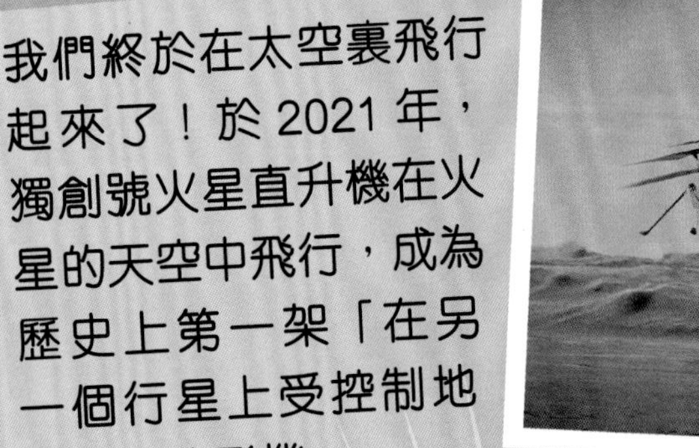

我們終於在太空裏飛行起來了！於 2021 年，獨創號火星直升機在火星的天空中飛行，成為歷史上第一架「在另一個行星上受控制地飛行」的飛機。

238 毛茸茸的朋友

在美國，每年大約有 320 萬隻貓和狗從動物庇護所被人領養！

240 防範偷獵者

對大象來說這是極好的消息！在過去5年中，
肯尼亞的偷獵率大幅下降了 78%。

噁心又厲害

我令人噁心的自衛方式是什麼？
請看看第73頁吧。

屁股呼吸法

241

錦龜有時會透過屁股呼吸！在冬天裏，牠們居住的池塘會被冰層覆蓋，因此牠們無法在水面呼吸空氣；然而，錦龜臀部周邊的血管能直接從水中吸取氧氣！

黏乎乎的伙伴

242

「鼻涕水獺」是美國賓夕法尼亞州的官方兩棲類動物！這種渾身黏液的生物真正的名字是美洲大鯢，不過當地人開玩笑給牠取了這個別名而已！

糞便謎題

243

袋熊是世界上唯一會排出立方體狀糞便的動物！科學家相信，袋熊那具有彈性的腸子有助改變糞便的形狀。

244 線眼眾多

沒有什麼生物比鱟更怪異的了，牠們擁有 10 隻眼睛！有 2 隻眼睛生長在頭部，其餘的都長在牠們的尾巴上。

請翻到第76頁，看看我的屁為何如此神奇。

抱歉！

245 熊貓去小便

擅長雜技的熊貓有時會在小便時做手倒立！牠們用尿液來標記自己的所屬地域。小便時頭下腳上地翻轉自己能讓更多尿液灑到樹上，而留下的氣味會比其他熊貓的更強烈。

246 生命鬥士海蛞蝓

有些品種的海蛞蝓即使被砍下頭部仍能生存！被砍下的頭部能夠重新長出身體和心臟。

248 扎人的紙

第一批大量生產的廁紙卷於 1857 年推出銷售，不過它的質素太差，常常把人扎傷。哎呀！

247 像粟米一般乾淨

直至 19 世紀中期，許多美洲人仍會把乾燥的粟米芯當作廁紙使用！

249 詭異的膠布

古希臘人和羅馬人曾經使用蜘蛛絲造成的膠布來敷理傷口及止血。謝謝你，蜘蛛！

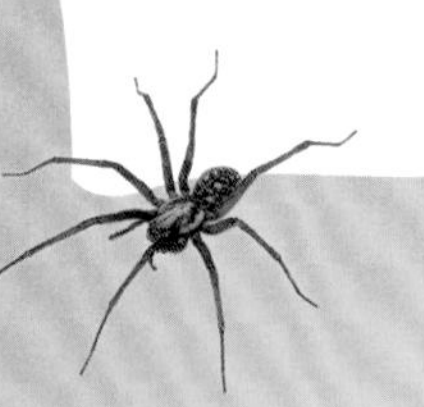

250 古代內褲

法老圖坦卡門（Tutankhamun）肯定很愛保持下身清爽舒適，因為他的陵墓裏放了 145 條內褲，讓他在死後世界裏穿着！

251 出人意料的蛇

考古學家意外地發現了一塊含有整條響尾蛇遺骸的人類糞便化石，因而大感震驚！這條響尾蛇很可能是在宗教儀式祭祀後被吃掉的！

252 發光發亮

照亮房間的方法不止一種，其實，人類本身也會發光！可惜的是，我們發出的光較我們的眼睛能感知的微弱大約 1,000 倍。

253

果斷行動

二次世界大戰期間，
勇的大丹犬朱莉婭
一枚炸彈小便，把
彈淋熄了！牠不止
一隻厲害的大丹
，牠還有一個
量巨大的膀
！

生米沒問題

254

與人們普遍相信的不同，進食未煮熟的米粒其實對鳥類沒有害處！米粒不會在牠們的肚子裏膨脹並令牠們爆炸。因此，你不用再為鴿子可能會「卜」的一聲爆開而驚惶不安了！

255

古怪的攻擊

有些海參會將內臟從屁股噴射出來，以保護自己！這真是骯髒的作戰方式！

退後，否則我會發射內臟！

噁心的芝士

256

利用肚臍和腋窩的細菌可以製作芝士！信不信由你，這些芝士嘗起來和普通的芝士一模一樣！

257 華麗的綠

人們說保持青蔥不容易，不過綠血蜥蜴卻別無選擇。牠們的舌頭、肌肉、骨頭，甚至血液全都是鮮綠色的！

258 藍色憂鬱

蜥蜴不是唯一擁有奇妙色彩血液的動物，鱟和部分八爪魚的血液是藍色的！

259 鮮明的血液

擁有不是紅色血液的生物不僅止於此，一些海洋蠕蟲擁有紫色的血液！

260 臭得要命！

糞臭素是令糞便發出臭味的分子，也是令茉莉花發出香氣的物質！在低濃度時，糞臭素會出乎意料地散發花香，但當它變濃時，便會發出可怕的惡臭。

261 到哪裏去了？

淡海櫛水母的屁股會離奇失蹤！牠的肛門只會在牠需要大便時出現，然後「蓬」的一聲肛門又消失了！

我的屁股回來了！快讓開！

262

如廁時間

人們一生中平均會花
3 年時間在廁所裏，
希望你在廁所裏暢通
無阻！

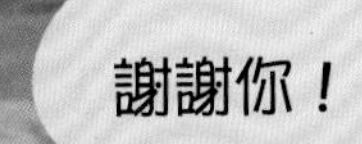

勇救海豚

263

包喜順是世界上最高的男子，他曾經拯救了一條海豚的生命，當時他用自己長長的手臂，直接把塑膠從海豚的胃裏扯出來！

264

放屁的力量

你一天裏所放出的屁能夠填滿一個氣球！

265

分解重組

毛蟲在變成蝴蝶之前會消化掉自己！毛蟲的身體會在蛹裏分解成「毛蟲湯」，然後再重組自己，變成一隻美麗的蝴蝶。

臭氣熏人的鸛

266 某些品種的鸛和禿鷲會在雙腿上大便，讓自己變得涼快！這真令人噁心！但牠們卻覺得清涼提神！

舒服多了！

267

奇怪的勝利者

冠軍

弗蘭克·哈耶斯（Frank Hayes）是唯一勝出賽馬的死人。哈耶斯在1923年的一場賽馬途中心臟病發身亡，而他的馬仍載着他衝過終點，獲得勝利。

268

互通氣息

有些鯡魚會藉着放屁來與其他鯡魚溝通！牠們會利用放屁產生的聲音來組成魚羣小組，守護彼此晚上安全。噗！

不好意思！

269

像豬一般快樂

豬一點也不髒，由於牠們沒有汗腺，所以在泥濘裏打滾只是為了保持涼快！浸在泥濘裏不僅令牠們神清氣爽，還能防止體溫過高。

我的臉上有什麼嗎？

270

遺骸礁石

墳場不是人們死後的唯一去處，人類的遺體能夠變成礁石球，這些礁石球有助天然珊瑚礁重新生長。

271

死後藝術

藝術愛好者也能夠在紀念畫作中永垂不朽！人們會把少量骨灰混入顏料中，用於特別的藝術作品中。

272

鑽石恆久遠

人類骨灰甚至可以變成一顆鑽石！

273

恐龍糞便

有些史前糞便變成了化石！這些成了化石的糞便被稱為「糞化石」，糞化石能夠告訴科學家關於史前動物的飲食情況。

輕鬆笑一笑

由鵝當守衛？不可能吧！
請翻到第84頁找出驚人
的真相吧。

274 太空人不會在太空裏清洗他們的髒衣服。相反，太空人會將臭熏熏的褲子扔進大氣層裏，讓它們在大氣層裏焚燒殆盡！

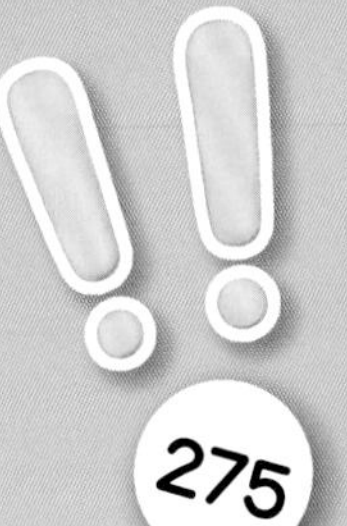

275 加拿大城鎮「聖路易哈！哈！」是擁有最多感嘆號的市鎮名稱。

276 有一隻加拉帕戈斯象龜，名叫迪亞哥，牠憑一己之力成為了 800 隻龜寶寶的父親，這有助拯救象龜免於滅絕！

277 一對夫婦曾經開玩笑說要邀請英女王伊莉莎白二世（Queen Elizabeth II）出席他們的婚禮，豈料女王真的現身在他倆的婚禮上！

不可能！

278 第一個消防栓的專利文件在一場火災中燒毀了！哎呀！

279 一個加拿大女子竟在自家花園裏長出的紅蘿蔔中，發現遺失了 13 年的結婚戒指！

請翻到第86頁，了解一下長在樹上的水果沙律吧。

歷來最巨大的薄餅有多大？請翻到第82頁找出答案。

280 嚴格來說，香蕉是莓果，但草莓和覆盆子卻不是莓果！

281 花生其實也不是堅果，它們是豆莢類。真是長知識了！

282 蘋果、桃和櫻桃都是同一個植物家族的成員，和玫瑰是一家人！

283 愛嗝氣（Burpy）、禿頭（Baldy）和肥滿（Puffy）全都是《白雪公主》中小矮人角色的候選名字！

284 象鼩鼱與大象的關係遠比鼩鼱更親密！

285 世界上最大的針織被子實在太巨大，巨大到無法完全放進展覽用的體育場館裏！

286
棉花糖是由一位牙醫發明的！
287
冰島一羣飢腸轆轆的火山科學家，成功利用一座正在爆發的火山所湧出來的熔岩，把香腸煎得吱吱作響！
288
狗的智力就像兩歲的小孩一樣。
289
第一次撰寫文章時使用 OMG（我的老天）的紀錄出現在 1917 年，那是一封給未來英國首相温斯頓．邱吉爾（Winston Churchill）的信！
290
舌頭留下的印痕，就像指紋一樣獨一無二！
291
不停啃咬各種東西的松鼠，是美國電力中斷的主要原因之一。

每日新聞

293

1930 年 4 月 18 日，新聞報導員宣布這天沒有新聞可以報道！

292

連鎖快餐店麥當勞曾經推出過味道像泡泡糖的西蘭花，但那完全不受歡迎！

295

根據 2007 年一項調查，冰島有 62% 的人相信小精靈是可能存在的。

294

傳統的廚師高帽總是有 100 個褶子，不多也不少，人們相信那代表了 100 種煮雞蛋的方法。

296

要駕駛汽車前往太空，大約要花 1 個小時！

297

世界上最巨大的薄餅大約等同於2個半籃球場的大小！

298

世界上最大杯的咖啡是22,700升，人們花了整整一個月時間來沖調！

299

世界上最長的蛋糕長達5,300米，但僅僅花了10分鐘就給飢餓的羣眾一掃而空！

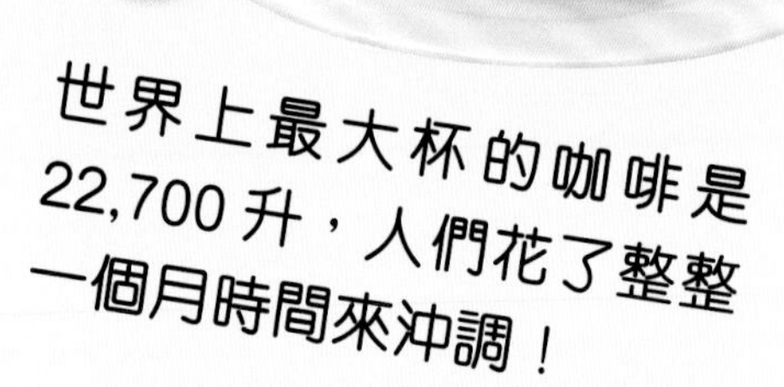

300

在加拿大部分地區，人們會將一羣羣兔子稱為「Fluffle（毛茸茸）」！

301

雄性犬吻蝠會唱情歌來吸引雌性蝙蝠。

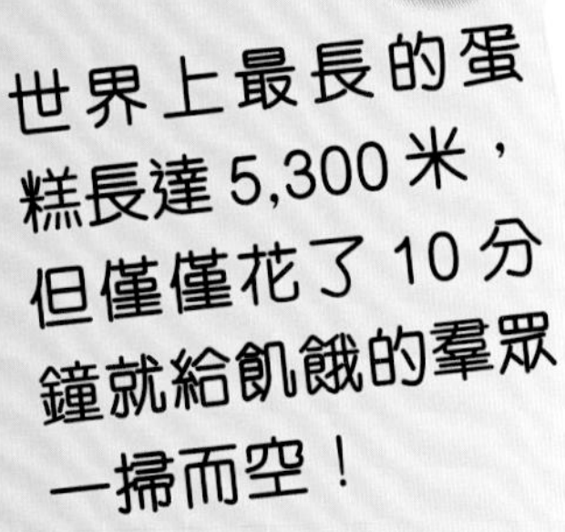

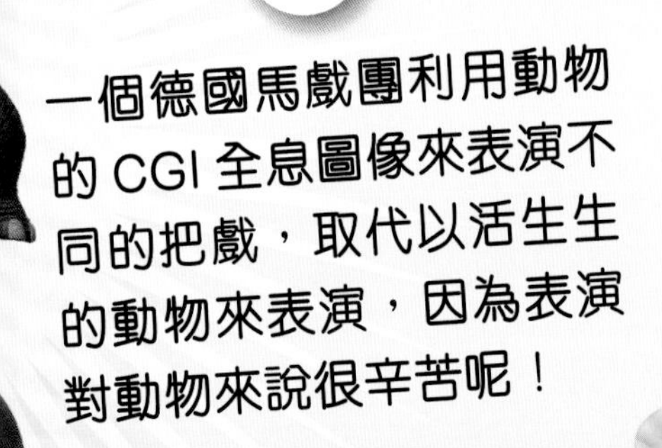

302

一個德國馬戲團利用動物的CGI全息圖像來表演不同的把戲，取代以活生生的動物來表演，因為表演對動物來說很辛苦呢！

303

蜜糖可以永遠保存，永不變質！

304

每一個人都曾經是世界上最年輕的人，維時最少 1 秒。

305

雖然海牀裏的黃金足以分配給世界上每一個人，且每人可得 4 公斤，不過要掘出這些黃金卻非常困難。

306

多達 7% 的美國成年人以為朱古力奶來自棕色的乳牛，真是難以置信！

307

綿羊、公雞和鴨子是世界上第一次熱氣球之旅的乘客！

308

在瑞典，捐血者捐出的血液如果被用於救助病人，他便會收到一則感謝信息。

309

進食太多紅蘿蔔可能令你的皮膚變成橙色！

310

藻類可能令雪變成粉紅色！這被稱為「西瓜雪」。

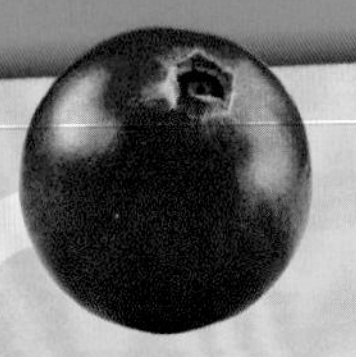

311

新鮮、成熟的蔓越莓能夠彈跳！

312

2013年，火星探測車好奇號哼唱了歌曲《生日快樂》，以慶祝它登陸火星後的第一年。

313

在中國鄉郊的部分地區，人們會用鵝來守衛建築物，而不是警犬！

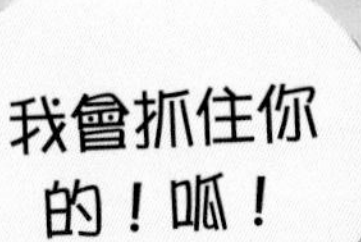

我會抓住你的！呱！

314

早期的吸塵機非常巨大，使用時，需要用馬匹來將吸塵機拉到各家各戶！

316

沒興趣吃雲呢拿雪糕當甜品？試試黑柿吧，它的味道就像朱古力布丁一樣！

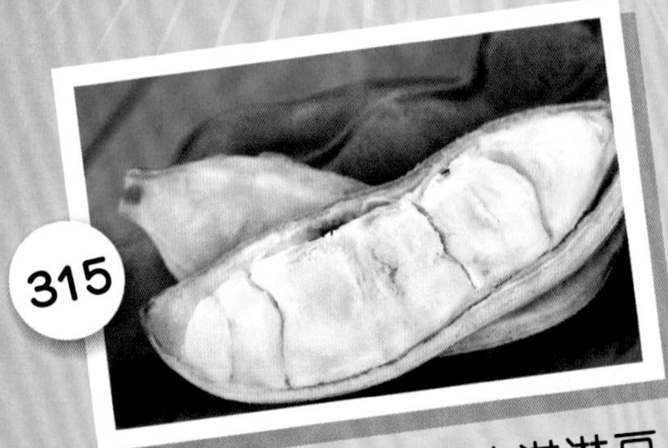

315

來自南美洲的果實冰淇淋豆，味道就像雲呢拿雪糕一樣！

317

冥王星是矮行星，它這個銜頭名副其實，因為它的直徑只有美國寬度的一半！

318

一尾罕有的、帶有泡泡糖粉紅色的樽鼻海豚，生活在美國路易斯安那州，名叫小粉。

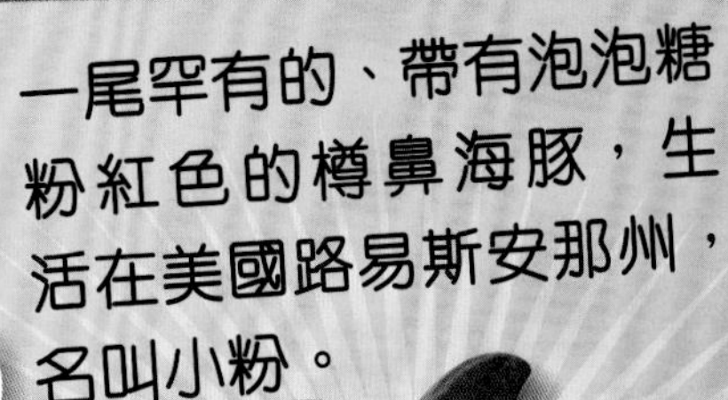

319

一朵向日葵其實是由數以千計的微小花朵組成的！

320

月光花會在晚上綻放，然後在早上閉合花瓣！

321

西蘭花是花！我們所吃的西蘭花其實是花朵還未綻放前的花蕾。

快回來這裏！

322

第一個因為駕車太快而惹上麻煩的人，事發時僅以每小時 13 公里的速度前進，他最後被一名騎單車的警官拘捕！

323
據部分太空人說，太空
嗅起來就像燒烤過的牛
扒一樣！
324
在同一時間，水果沙律樹能生長出最
多 6 種不同種類的水果！
325
天王星於 1781 年被
發現，原本叫作
喬治，那是依
循當時在位
的英王喬治
三世（King
George III）
來命名的！
我的名字是
喬治
326
雄性納米變色龍是世界
上最細小的爬蟲類動
物，牠只有一顆向日葵
種子的大小！
327
口香糖能幫
助你集中注
意力！
328
2015 年，奈杰爾．理查
（Nigel Richards）成功
得法語拼字遊戲世界冠軍
驚人的是，他竟完全不懂
語！

329

沒有蒼蠅，世上就不會有朱古力，因為這些細小的昆蟲會為可可樹傳播花粉。

330

只要將生長中的西瓜放進一個模具，便可種出方型的西瓜了！

331

直至2013年為止，俄羅斯軍人都不穿襪子！他們會用布包裹住雙腳來代替襪子。

如果你乘坐的飛機飛得夠高，你便可能看見完整圓形的彩虹！

332

333

科學家認為，銀河系的中心的味道可能像覆盆子！

334

烘焙師曾經使用羽毛來給蛋糕塗上糖霜！

335

使用率最高的表情符號是帶有淚水的笑臉！

思想魔法

請翻到第95頁，找出假笑的力量吧。

努力工作

336 看着可愛的小動物能夠提升你的生產力，你的老師再也沒有藉口不在課室的牆上貼上萌萌的貓咪圖片了！

337

傳播歡樂

快樂是有感染力的！當你感到歡喜若狂之際，別忘了將你的笑容跟朋友和家人分享，這可提振他們的情緒！

動起來

如果你感到憂鬱，動起來讓你的血液流動全身吧！只需要運動 10 分鐘，便能令你感到更快樂、更精力充沛了。

擁抱力量大

339 來好好運用擁抱的超級力量吧！擁抱不僅能令你更快樂，也能令傷口痊癒得更快。

請翻到第91頁，了解一下為什麼悲傷能令你更快樂。

請翻到第92頁，發掘一下初生嬰兒的微笑背後有什麼秘密吧。

340 「橙」生快樂？

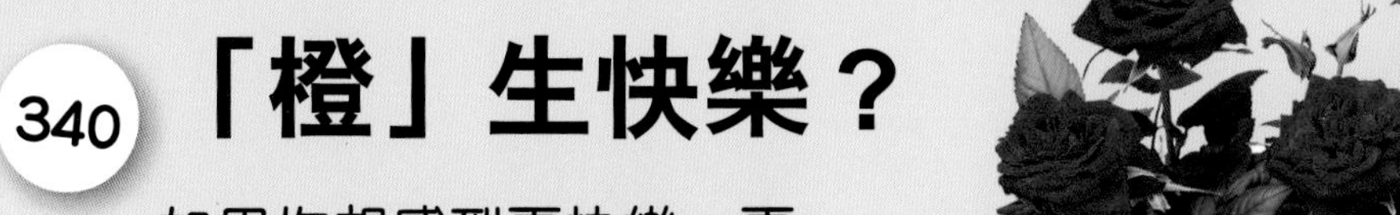

如果你想感到更快樂、更正面，停下來聞一聞柑橘吧。研究顯示，柑橘類植物的氣味能夠改善情緒。

玫瑰般的美好感受

341

停一停，聞一聞玫瑰的花香對人有莫大的益處，因為科學家發現，玫瑰的香氣能夠令你感覺更平靜、更放鬆。

甜蜜又安寧

342

雲呢拿的香味擁有和玫瑰相同的放鬆效果。如果你肚子有點餓，現在就選擇雲呢拿雪糕、雲呢拿餅乾，或是雲呢拿蛋糕吧！

343

快樂的歌

當你嘗試讓自己開心起來，卻失敗告終時，你可能會感到沮喪。你或可試試聆聽快樂、輕快的音樂，科學證實這能有助你開心起來。

344

祝你好運

研究人員發現，相信自己是幸運兒能令你表現得更出色！

345

笑容的類別

科學家認為，笑容主要分為 3 個類別！其中一種笑容顯示你是友善的，另一種是在得到回報時的笑容，還有一種能顯示你的權威。

346

愉快又健康

你知道「一日一笑容，醫生遠離我」嗎？有些專家認為，經常形容自己感覺快樂的人較少機會患上感冒。

347 出門逛逛

走出戶外是獲得快樂的有效秘訣！花點時間在大自然走走，能令人更愉快，減少壓力。

348 善良的本質

到戶外去，也能令你更善良、更慷慨！

349 富藝術感的戶外活動

還有一個到戶外去的理由，就是會令人更有創意。快快拿起繪畫工具，走到戶外汲取靈感吧！

350 難過的日子

有時候，感到難過是完全正常的。感覺沮喪其實是好事，因為到你開心起來時，難過的情緒能夠提高你整體的快樂指數！

351

每天笑一笑

吃水果和蔬菜不僅對健康有益，對情緒也有好處呢。來吃一些菠菜、草莓和沙律，並展現笑容吧！

多喝水

352

研究顯示，缺乏水分可能令你的情緒變壞，因此別忘了喝水！

寶寶的微笑

353

寶寶在子宮裏便開始微笑了！不過這些原始的笑容並不是為了展露情緒，他們只是為日後作出練習，寶寶第一個真正的微笑會在他們 6 至 8 星期大時出現。

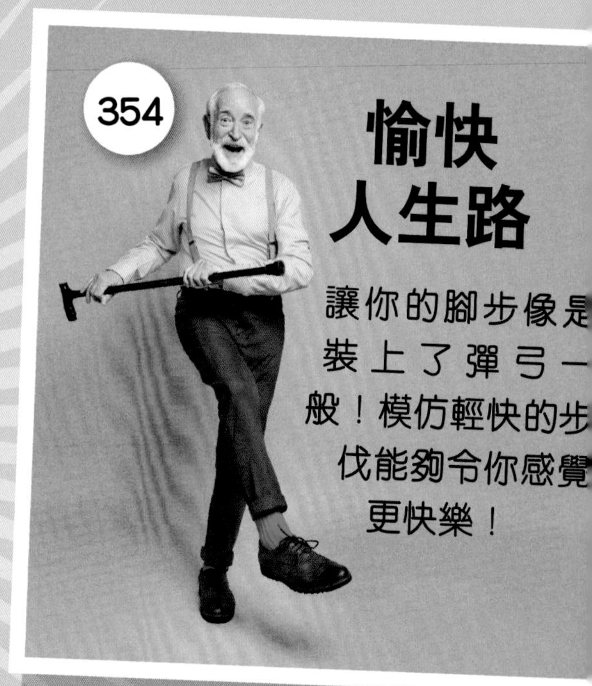

354

愉快人生路

讓你的腳步像是裝上了彈弓一般！模仿輕快的步伐能夠令你感覺更快樂！

355 暫停再開始

雖然進食你喜歡的食物能令你開心起來，但暫時不再吃這些食物也能使你快樂呢。短暫時間不吃朱古力的人到了終於能夠吃一點點時，會更享受朱古力！

356 快樂地舞動

快快動起來，以降低抑鬱的感覺！不過你要放鬆，並自由地活動身體，以感受舞動所帶來的喜悅，因為拘謹、綳緊的動作不會令你快樂。

357 解決問題

跳舞也能幫助你解決問題，下一次當你被功課難倒時，何不試試舞動身體？

358 為自己喝采

還有另一個跳躍舞動的理由，原來跳舞能夠提升你的自尊。那麼，多聽你喜愛的歌曲，隨歌舞動吧！

359

你真有趣

開懷大笑不只局限於有趣的笑話！你知道如果你和其他人在一起時，對某些事物發笑的可能性會多 30 倍？笑也是重要的社交行為，它能改善我們與其他人的關係。

360

ZZZZZZZ

如果你覺得難過，便去小睡一會吧！短暫的小睡能夠令人感覺更開心、更專注，還會令你更有創意！很好，很好，很好！

361

銅牌更好

成為最優秀的人並不一定會令人感覺良好。研究顯示，銅牌得主比銀牌得主更快樂！

362

感恩真好

學會感恩是感到快樂的好方法，何不快快列出 5 項今天令你感恩的事情，或者更進一步寫感恩日記？

363 策劃派對

構思及計劃活動會帶來很大的滿足感，令人興奮的體驗，樂趣自然加倍！

364 行動而非擁有

忘記昂貴的玩具與衣服吧！把錢花在有趣的體驗上，比起購物更能令你快樂。

365 弄假成真

需要提振精神？試試咧嘴而笑吧！科學家發現，即使是假裝的笑容也能改善你的情緒！

詞彙

齊來學習下面的中英詞彙吧！

二畫
八爪魚 octopus

三畫
大笑 laughing
大象 elephant
小便 wee

四畫
太空 space
太陽 Sun
月球 Moon
水果 fruit
牛 cow

五畫
古希臘人 Ancient Greek
古埃及人 Ancient Egyptian
可再生能源 renewable energy

六畫
名字 name
朱古力 chocolate

八畫
朋友 friend
松鼠 squirrel
狗 dog
兔子 rabbit
花朵 flower

九畫
建築物 building
皇室 royal family
音樂 music
食物 food

十畫
時間 time
海豚 dolphin
海獺 sea otter
蚊子 mosquito
馬 horse

十一畫
彩虹 rainbow
雪 snow
魚類 fish
鳥類 bird

十二畫
猴子 monkey

十三畫
愛 love
跳舞 dancing
運動 sports

十四畫
熊貓 panda
睡眠 sleeping
綿羊 sheep
蜜蜂 bee

十五畫
慶祝 celebration

十六畫
樹木 tree
貓 cat

十七畫
糞便 poo

十九畫
羅馬人 Roman

二十畫
寶寶 baby